L'arbre à mots

Plus de **80 % des mots** utilisés en français viennent du latin. L'étude de leur **étymologie** permet de mieux comprendre **leur sens** en reconstituant **leur histoire.**

Racine et radical

Groupés en familles, les mots sont comme des feuilles attachées aux branches d'un arbre.
À partir d'une **grande racine**, **divers radicaux** (du latin radix, *icis*, f., racine) ont poussé.

Le radical
C'est la partie de la racine qui ressort dans un mot. Le radical peut prendre des **formes différentes** en fonction de l'évolution des mots au fil du temps (prononciation, règles phonétiques).

La racine
C'est la base la plus ancienne et la plus large d'un ensemble de mots qu'on appelle **famille.** Elle exprime **une idée commune** à tous ces mots.

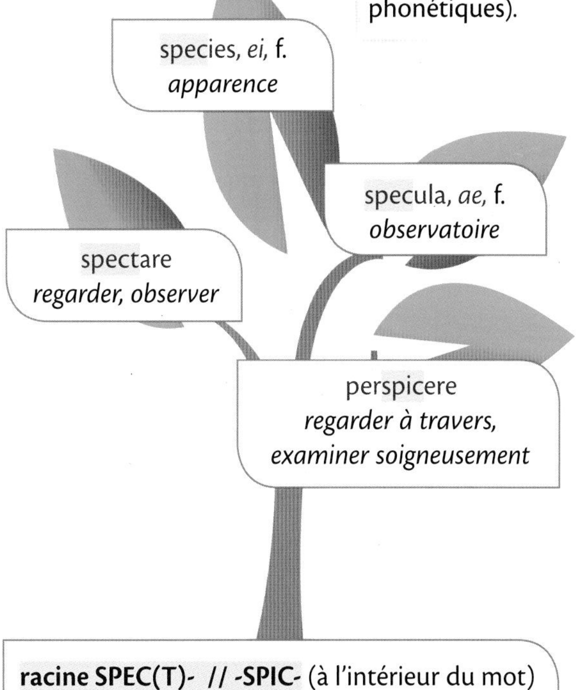

Mots dérivés ou composés

À partir d'un mot dit simple, un (ou plusieurs) **préfixe**, un (ou plusieurs) **suffixe** a pu être ajouté au **radical** pour former un mot nouveau appelé **dérivé**.
Un mot formé par la combinaison de deux radicaux, comme muni-ceps (du verbe capere, *prendre*), d'où *municipal* en français, est appelé **composé**.

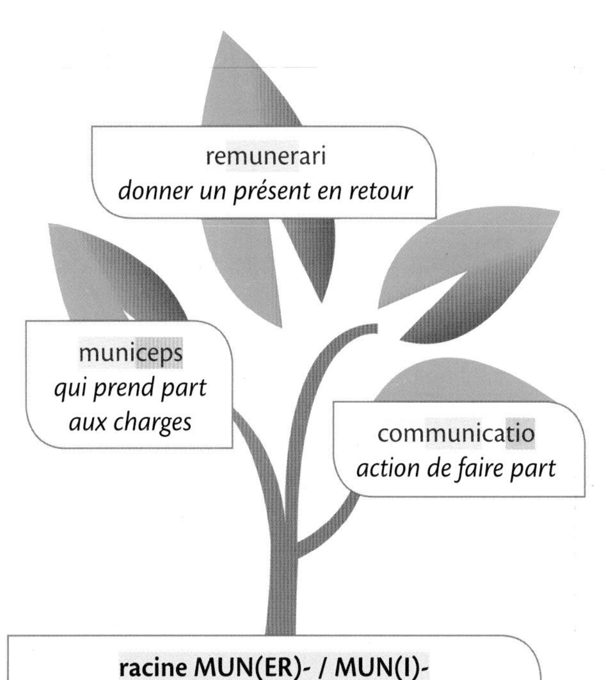

Collège

....

....

....

2017-2018 : ....

20...-20... : ....

20...-20... : ....

20...-20... : ....

20...-20... : ....

20...-20... : ....

Carte d'activation Manuel Numérique Élève 5 ans

Rendez-vous sur

www.activation.bimanuel.fr

Clé d'activation

à conserver dans ce manuel papier :

dfb537-0bd5d5-df7185

978-2-210-11012-0

*Voir conditions détaillées sur www.bimanuel.fr/cgu

LATIN

Langues et cultures de l'Antiquité

Marie Berthelier
Agrégée de Lettres classiques

Annie Collognat-Barès
Agrégée de Lettres classiques

Les auteurs et les éditions Magnard remercient **Cédric Caon**, professeur au collège Henri Wallon (Varennes-Vauzelles), **Nicole Hatémian**, professeur au collège La Nativité (Aix-en-Provence), **Aurore Pruvot**, professeur au collège Henri Guillaumet (Mourmelon-le-Grand), **Anna Raine**, professeur au collège Paul Verlaine (Paris 12e) et **Julien Roussel**, professeur au collège de Carignan pour leurs remarques et suggestions, ainsi que tous les enseignants qui ont participé aux études menées sur ce manuel.

Ce manuel applique les recommandations orthographiques de 1990, mentionnées dans le B.O. n° 11 du 26 novembre 2015.

Valable jusqu'au 31/07/2022

Sommaire

Découverte

Rome : une ville, un peuple, un empire 4
Rome : une langue, une culture 5
Lire et écrire en latin 6
Le grec 8
D'une langue à l'autre 10
TEMPUS *loquendi* • TEMPUS *ludendi* 12

Lexique 122
Mémento grammatical 125
Index des notions de langue 127

Retrouvez des pistes pour le **parcours citoyen** pp. 39, 93, 99

PEAC

Retrouvez des pistes pour le **parcours d'éducation artistique et culturelle** pp. 17, 23, 32, 59, 89, 104, 113

Numérique

• Les **textes audio** du manuel sont signalés par un picto. Ils sont en **latin**, en **grec**, en **français** et en **lecture alternée** du latin et du français.

• Des **fiches d'exercices**, des **exercices interactifs** et des **schémas animés et commentés** sont également disponibles.

→ Toutes ces ressources sont accessibles en saisissant l'adresse indiquée dans votre navigateur (par exemple : **lienmini.fr/latin5-001**).

→ **D'autres ressources (études d'œuvres, parcours...)** destinées à l'enseignant sont signalées au fil des pages. MNE

5 allée de la 2e D.B. – 75726 Paris cedex 15
ISBN : 978-2-210-10762-5

MARE NOSTRUM
La Méditerranée

Partie 1
La mer au temps des dieux
Les chevaux de Neptune 14

❶ Aventures en mer
Lecture Bacchus et les pirates ..... PEAC 16
Langue Le verbe, la conjugaison 18
Culture La mer et ses pièges 20

❷ Dieux et déesses
Lecture Jupiter et Europe ..... PEAC 22
Langue Le nom, la déclinaison 24
Culture Dieux grecs, dieux romains 26

Atelier de traduction *Du texte... aux mots* 28
TEMPUS *loquendi* • TEMPUS *ludendi* 30

Partie 2
Migrations, fondations
Le naufrage d'Énée ..... PEAC 32

❸ Énée, un migrant venu d'Asie
Lecture En pleine tempête 34
Langue Le présent de l'indicatif 36
Culture De Troie au Latium ..... PARCOURS CITOYEN 38

❹ Des villes nouvelles
Lecture Une cité en construction 40
Langue La 1re déclinaison 42
Culture Fondations mythiques 44

Atelier de traduction *Du texte... aux mots* 46
TEMPUS *loquendi* • TEMPUS *ludendi* 48

AB URBE CONDITA

Rome : de la légende à l'histoire

Partie 3
Le temps des origines

Le Tibre avec la louve allaitant les jumeaux 50

5 Le jour où l'*Urbs* est née

Lecture Une fondation selon les rites 52
Langue La 2e déclinaison, le génitif 54
Culture La naissance de Rome 56

6 Les premières Romaines

Lecture Un habile guet-apens ..... PEAC 58
Langue Le présent de l'indicatif (suite) 60
Culture Romains et Sabins 62

Atelier de traduction *Du texte... aux mots* 64
TEMPUS *loquendi* • TEMPUS *ludendi* 66

Partie 4
Le temps des rois

Numa Pompilius et Égérie 68

7 Des rois, des armes et des lois

Lecture Trois contre trois 70
Langue Les adjectifs qualificatifs en *-us, -a, -um*, l'ablatif 72
Culture Les premiers rois de Rome 74

8 Des rois et des travaux

Lecture Le message de l'aigle 76
Langue L'imparfait de l'indicatif 78
Culture Rome, ville étrusque 80

Atelier de traduction *Du texte... aux mots* 82
TEMPUS *loquendi* • TEMPUS *ludendi* 84

IN DIES

Jour après jour

Partie 5
Naitre et grandir à Rome

Frise des âges de la vie 86

9 Vie de famille

Lecture Un père modèle ..... PEAC 88
Langue Les pronoms personnels, *sum* + datif 90
Culture Être romain, identité et filiation ..... PARCOURS CITOYEN 92

10 Apprentissages

Lecture Classe bilingue 94
Langue L'impératif, le verbe *eo* 96
Culture École et instruction ..... PARCOURS CITOYEN 98

Atelier de traduction *Du texte... aux mots* 100
TEMPUS *loquendi* • TEMPUS *ludendi* 102

Partie 6
Art de vivre

Fresque représentant un jardin ..... PEAC 104

11 La maison romaine

Lecture La maison idéale 106
Langue Les compléments circonstanciels de lieu et de temps 108
Culture Visiter une *domus* 110

12 Les arts de la table

Lecture Le ballet de Tranche ..... PEAC 112
Langue Le futur de l'indicatif 114
Culture Se nourrir à Rome 116

Atelier de traduction *Du texte... aux mots* 118
TEMPUS *loquendi* • TEMPUS *ludendi* 120

Rome : une ville, un peuple, un empire

On désigne sous le nom de « Rome » la civilisation romaine dans son ensemble, qui a duré plus de douze siècles. En effet, quelles que soient ses limites dans l'espace et dans le temps, cette civilisation n'a qu'un centre, qu'un modèle, l'**Urbs**, la « Ville » fondée par Romulus et protégée par Jupiter.

Rome et son empire

À l'origine, au VIIIe siècle avant J.-C., Rome n'est qu'un minuscule hameau ; elle devient une cité avec les rois étrusques. Huit siècles plus tard, les Romains ont imposé leur autorité à la quasi-totalité du monde connu de cette époque.
Les Romains sont si fiers de leur puissance (imperium en latin) qu'ils considèrent l'avoir reçue des dieux eux-mêmes. Ils se voient comme un peuple élu par le destin pour dominer le monde.

Pièce de monnaie romaine, 332 après J.-C.

Le roi des dieux annonce le destin qu'il a prévu pour les Romains.
Imperium sine fine dedi.
Je leur ai donné un **empire** sans fin.

Virgile, *Énéide* (19 avant J.-C.), livre I, vers 279.

1. **Qui est le roi des dieux ? Qu'a-t-il offert aux Romains ?**
2. **Lisez et traduisez les deux mots autour de la femme casquée sur la pièce de monnaie. Qui est-elle ?**
3. **Quel épisode et quel héros de l'histoire de Rome sont représentés sur l'autre face de cette pièce ?**

Bienvenue à Rome !

Grâce au cours de latin, vous allez entrer dans le monde des Romains : vous découvrirez comment ils vivaient, comment ils parlaient, pensaient et écrivaient. Vous comprendrez comment ils ont façonné les territoires qu'ils ont conquis, posant les bases de la culture qui est aujourd'hui celle de l'Europe.

4. **Combien de continents sont cités sur la carte ? (pp. IV-V) Recopiez leur nom latin. Comment les appelle-t-on en français ?**
5. **Autour de quelle mer Rome a-t-elle étendu son empire ?**
6. **En quelle année Rome a-t-elle été fondée ? Quelles sont les trois grandes périodes de son histoire ? (p. I)**

MNE

Un **parcours** pour découvrir la Méditerranée antique par des cartes.

Statue en marbre d'Auguste, env. 14 après J.-C., restituée dans sa polychromie d'origine, musées du Vatican, Rome.

Rome : une langue, une culture

••••Aux origines du latin

Des spécialistes ont comparé les langues de l'Antiquité parlées dans des régions très diverses, en Europe et en Asie, et ils ont constaté d'étonnantes ressemblances. Ils ont donc cherché à reconstituer une langue « mère », baptisée « indo-européen », qui remonterait à la préhistoire.
Elle aurait légué à ses nombreuses « filles » des caractéristiques communes, comme le système de la déclinaison et les bases de formation des mots qu'on appelle « racines ».

1 Comment dit-on *mère* en anglais, allemand, italien, espagnol ? Que constatez-vous ?

2 Cherchez dans quel pays est encore parlé le sanskrit, considéré comme une langue sacrée.

Un exemple :
la racine indo-européenne
mat- (mère)

> μήτηρ (***mètèr***) en grec ancien
> **mater** en latin
> **matar** en sanskrit
> **mothar** en germanique
> **mathir** en vieil irlandais
> **mayr** en arménien

••••Du latin aux langues romanes

Avec leurs modes de vie et leur culture, les Romains apportèrent aussi leur langue dans tous les territoires où s'est exercée leur domination. Le latin devint ainsi une langue de communication internationale, comme l'est aujourd'hui l'anglais.

Si le latin qu'on appelle « classique » restait le privilège d'une élite riche et cultivée, un latin beaucoup plus populaire s'introduisit partout. C'était la langue des colons, soldats et marchands, qui étaient loin de parler eux-mêmes de manière distinguée.

Ainsi répandu en Europe, le latin s'est imposé comme l'ancêtre commun de plusieurs langues nationales (portugais, espagnol, français, italien, roumain) et régionales (galicien et catalan en Espagne, occitan en France, romanche en Suisse, sarde en Italie). C'est pourquoi on qualifie ces langues de « romanes » (de l'adjectif **Romanus**, romain).

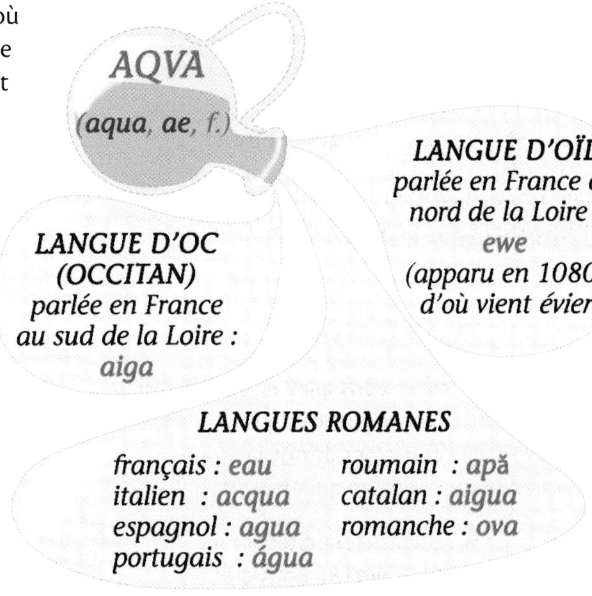

AQVA
(aqua, ae, f.)

LANGUE D'OÏL
parlée en France au nord de la Loire :
ewe
(apparu en 1080)
d'où vient évier

LANGUE D'OC
(OCCITAN)
parlée en France au sud de la Loire :
aiga

LANGUES ROMANES
français : eau
italien : acqua
espagnol : agua
portugais : água
roumain : apă
catalan : aigua
romanche : ova

3 Complétez les phrases avec des mots directement issus de aqua.

1. Une peinture à l'eau est une ... .
2. Une plante qui pousse dans l'eau est une espèce ... .
3. On fait vivre des poissons dans un ... .
4. La voiture a dérapé sur une flaque d'eau : c'est un phénomène d'... .
5. Dans ce parc d'attractions, on trouve un ... avec une piscine géante et douze toboggans.
6. Un ... est une construction pour amener l'eau dans une ville.

Lire et écrire en latin

L'alphabet

À Rome, l'alphabet le plus ancien reproduit l'alphabet utilisé par les Étrusques, qui avaient eux-mêmes adapté l'alphabet grec à leur langue aux VIIIe-VIIe siècles avant J.-C.

À partir du Ier siècle avant J.-C., des lettres nouvelles sont introduites pour transcrire directement des mots grecs : le X, le Z et le Y (p. 8). À partir du XVIe siècle, on distingue souvent i / j et u / v dans la présentation des textes latins, là où les Romains n'utilisaient que les deux lettres I et V.

Aujourd'hui, les dictionnaires latins comportent le même répertoire de lettres que les dictionnaires français.

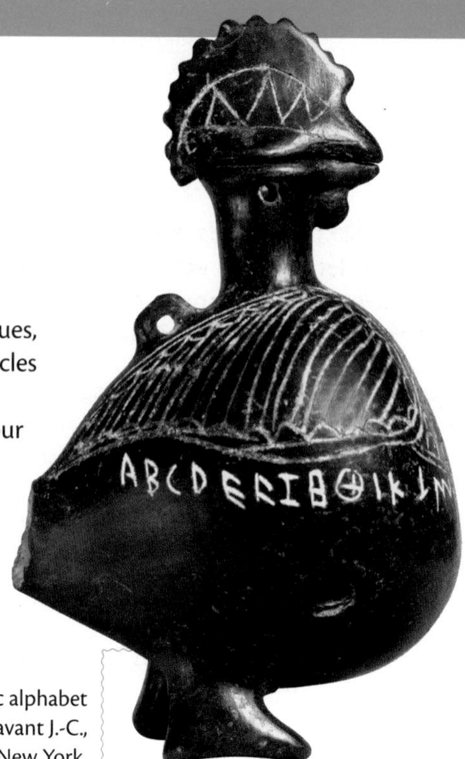

Encrier en forme de coq avec alphabet étrusque gravé, env. 650 avant J.-C., Metropolitan Museum of Art, New York.

1 Recopiez les quatre premières lettres gravées sur le coq étrusque. Que constatez-vous ?

La prononciation

En latin, chaque lettre correspond à un son distinct. La plupart des lettres se prononcent comme nous prononçons le français.

Le latin n'a pas d'accent sur les voyelles, comme le français, mais on sait qu'il se prononçait avec une accentuation dite « tonique » qui correspond à une montée de la voix sur certaines syllabes (en général l'avant-dernière : cantare, chanter), comme en espagnol ou en italien.

On distinguait dans la prononciation les sons voyelles longs (ā) des sons voyelles brefs (ă), comme dans pâte / patte.

2 Lisez à haute voix les mots latins du tableau.

Lettres	Prononciation	Exemples
	Voyelles	
e	**é** ou **è** *comme dans* **ré**ception	**receptus** (reçu)
u	**ou** *comme dans* l**ou**ve	**lupa** (louve)
y	**u** *comme dans* **u**ne	**labyrinthus** (labyrinthe)
	Diphtongues	
ae	**aé** *comme dans* **aé**rien	**laetitia** (joie)
oe	**oé** *comme dans* N**oé**	**moenia** (remparts)
au	**ao** *comme dans* b**ao**bab	**nauta** (marin)
eu	**éou** *comme dans* S**éou**l	**neuter** (neutre)
	Consonnes	
c, ch	**k** (toujours dur) *comme dans* **c**arte ou **ch**orale	**pace** (paix), **charta** (papier)
g	**g** (toujours dur) *comme dans* **g**amme ou **g**uerre	**ager** (champ)
j	**y** *comme dans* bala**y**er	**major** (plus grand)
ll	*comme dans* vi**ll**a	**bello** (guerre)
nn	*comme dans* a**nn**oter	**annos** (années)
qu	**kw** *comme dans* **aqu**arium	**qui** (qui)
s	**s** (jamais z) *comme dans* autobu**s**	**populus** (peuple)
t	**t** *comme dans* oues**t**	**est** (il est)
v	**w** *comme dans* sand**w**ich	**virtus** (courage)
x	**x** *comme dans* Féli**x**	**exemplum** (exemple)
z	**dz** *comme dans* **Z**eus	**zinziare** (siffler)

AUDIO

Écoutez la prononciation des mots latins à cette adresse : **lienmini.fr/latin5-001**

• • • Quand les Romains écrivaient

Nous avons conservé de très nombreux documents montrant comment les Romains écrivaient : inscriptions gravées en majuscules dans la pierre, le bronze, les métaux précieux, graffitis sur les murs, manuscrits en écriture cursive (tracé des lettres rapide). Les lettres dites « minuscules » ne furent utilisées qu'à partir du IVe siècle par les « copistes » (ceux qui étaient chargés de recopier les textes).

1. Copie en marbre du bouclier d'Auguste (26 avant J.-C.), retrouvée à Arles, musée de l'Arles antique.

SENATVS
Le Sénat
POPVLVSQVE•ROMANVS
et le peuple romain
IMP[ERATORI]•CAESARI•DIVI•F[ILIO]•AUGVSTO
à l'empereur César Auguste fils du divin [= Jules César]
CO[N]S[ULI]•VIII•DEDIT•CLVPEVM
consul huit fois ont donné ce bouclier
VIRTVTIS•CLEMENTIAE
en témoignage de son mérite, de sa clémence,
IVSTITIAE•PIETATIS•ERGA
de sa justice, de sa piété envers
DEOS•PATRIAMQVE
les dieux et la patrie

FACITIS VOBIS SUAVITER

EGO CANTO

EST ITA VALEAS

2. Scène de banquet, fresque de la maison de Bacchus à Pompéi, Ier siècle après J.-C., musée archéologique de Naples.

1 Doc. 1 Lisez à haute voix les mots latins en orange. Recopiez le nom traduit par *justice*. Que constatez-vous ?

2 Doc. 2 Lisez à haute voix ce que dit chaque convive sur la fresque, puis choisissez la traduction qui convient parmi les propositions suivantes. Attention il y a un intrus !
- C'est ainsi, porte-toi bien !
- Vous, vous chantez !
- Vous faites de manière agréable pour vous (= Mettez-vous à l'aise) !
- Moi, je chante !

1.

Le grec

L'alphabet grec

Adapté de l'alphabet phénicien, l'alphabet grec compte vingt-quatre lettres. Repris et remanié par les Étrusques, il a donné naissance à l'alphabet latin que nous utilisons aujourd'hui (p. 6).

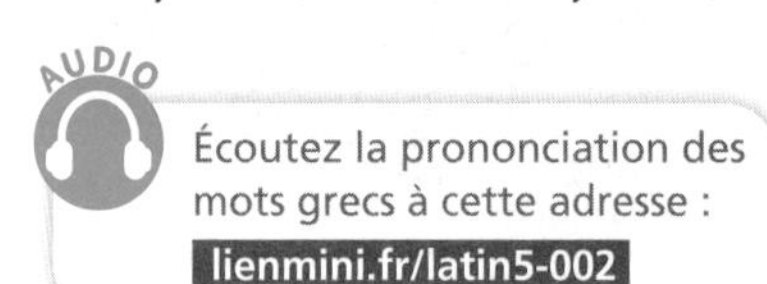

AUDIO
Écoutez la prononciation des mots grecs à cette adresse :
lienmini.fr/latin5-002

Majuscule	Minuscule	Nom de la lettre	Prononciation (alphabet phonétique)	Exemple
Α	α	alpha	[a] et [ɑ] > a bref ou â long	ἀρχή (ἡ) : origine, pouvoir
Β	β ou ϐ	bêta	[b]	βάρϐαρος : barbare
Γ	γ	gamma	[g]	γράμμα (τὸ) : lettre
Δ	δ	delta	[d]	δῆμος (ὁ) : peuple
Ε	ε	epsilonn	[e] > é bref	ἔθνος (τὸ) : race
Ζ	ζ	dzêta	[dz]	ζωή (ἡ) : vie
Η	η	êta	[ɛ] > ê long	ἥλιος (ὁ) : soleil
Θ	θ	thêta	[t'] > t aspiré (th en anglais)	θέατρον (τὸ) : théâtre
Ι	ι	iota	[i]	ἱερός : sacré
Κ	κ	kappa	[k]	κίρκος (ὁ) : anneau
Λ	λ	lambda	[l]	λόγος (ὁ) : parole
Μ	μ	mu	[m]	μόνος : seul
Ν	ν	nu	[n]	ναῦς (ἡ) : navire
Ξ	ξ	ksi	[ks]	ξένος : étranger
Ο	ο	omicronn	[ɔ] > o bref	ὀφθαλμός (ὁ) : œil
Π	π	pi	[p]	πατήρ (ὁ) : père
Ρ	ρ	rhô	[r]	ῥήτωρ (ὁ) : orateur
Σ	σ ou ς	sigma	[s]	σοφός (adjectif) : sage
Τ	τ	tau	[t]	τέχνη (ἡ) : art, technique
Υ	υ	upsilonn	[y]	ὕπνος (ὁ) : sommeil
Φ	φ	phi	[f]	φίλος (adjectif) : ami
Χ	χ	khi	[k'] > k aspiré (ch en allemand)	χρόνος (ὁ) : temps
Ψ	ψ	psi	[ps]	ψυχή (ἡ) : âme
Ω	ω	ôméga	[o] > ô long	ὥρα (ἡ) : période de temps

Les mots grecs portent des signes :
– des **accents** indiquant sur quelle syllabe porte la voix (intonation),
– des **esprits** marquant la présence ou l'absence d'un léger souffle aspiré.

Ex. : ἕτερος : autre → hétérogène (le h est le vestige de l'aspiration dans le mot grec)

1 D'où vient le nom *alphabet* ?

2 Quelle lettre grecque désigne :
a. l'embouchure du Nil ou du Rhône ?
b. le symbole du nombre utilisé pour calculer le périmètre du cercle ?

3 Recopiez cinq mots grecs du tableau et notez pour chacun un mot français (ou plus) qui en est issu (ἀρχή → archéologue).

•••Le modèle grec

Dans l'Antiquité, il n'y avait pas d'état grec unifié, mais des cités indépendantes, comme Athènes, Sparte ou Corinthe. À partir du VIIIe siècle avant J.-C., de nombreux habitants, qui se sentaient « à l'étroit » dans ces cités, émigrèrent dans tout le bassin méditerranéen, où ils répandirent leur culture et leur art. D'abord introduite à Rome par les Étrusques (p. 4), cette culture finit par s'imposer comme le modèle à suivre. Au Ier siècle avant J.-C., tous les Romains distingués étaient bilingues : latin et grec.
Aujourd'hui, la civilisation grecque, est une base fondamentale de la culture européenne, comme la civilisation romaine, qui a contribué à son développement.

2.

4 Si vous choisissez d'apprendre le grec ancien, vous serez :
❍ des grécologues ❍ des hellénophiles ❍ des hellénistes

3.

•••Lire en grec

Pour vous entrainer, voici deux phrases empruntées à un auteur qui écrivait des résumés de mythologie.

La Belle et le monstre

Τὴν Ἀνδρομέδαν θεασάμενος
Ayant vu Andromède,
ὁ Περσεὺς ὑπέσχετο τῷ πατρὶ Κηφεῖ
Persée proposa à son père Céphée
ἀναιρήσειν τὸ Κῆτος.
de tuer le Monstre marin.
Τὸ Κῆτος ὁ Περσεὺς ἔκτεινε καὶ τὴν Ἀνδρομέδαν ἔλυσεν.
______ tua ______ et il délivra ______ .

Bibliothèque, attribuée à Apollodore d'Athènes, IIe siècle avant J.-C., livre II, 4, 3.

4.

5 Lisez le texte en grec et complétez la traduction.

6 Recopiez en grec le nom du héros, puis celui de la princesse qu'il a sauvée. Cherchez leur histoire et résumez-la en quelques phrases.

7 Recopiez en grec le nom du monstre. Quel nom utilisé pour désigner les grands mammifères marins en est issu ?

8 Associez les légendes aux quatre documents. Quel est leur point commun ?

a. Affiche du film *Le Choc des Titans* de Louis Leterrier, 2010.
b. Vase grec avec Persée délivrant Andromède du Kétos (noms inscrits en dialecte corinthien), env. 575 avant J.-C., Altes Museum, Berlin.
c. Carte céleste avec la constellation de la Baleine (Cetus, en latin), XVIIe siècle.
d. Fragment de vase grec en forme de Kétos, env. 650 avant J.-C., Metropolitan Museum of Art, New York.

D'une langue à l'autre

Français et latin

La langue française est née de la langue latine, mais la langue « fille » a évolué par rapport à la langue « mère ». Pour identifier les **ressemblances** et les **différences** principales entre les deux langues, partons du français.

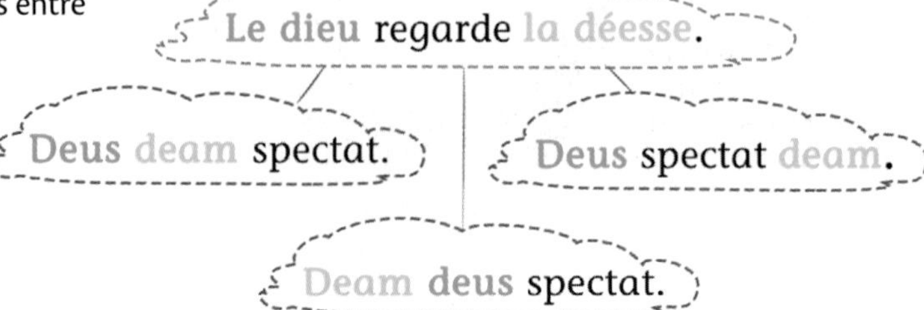

Comparons l'ordre des mots

1 Lisez la phrase en français. Quelle est la fonction du groupe nominal en bleu ? en vert ?

2 Placez le sujet de la phrase en français en position de COD et inversement. Le sens de la phrase est-il le même ?

3 Trois phrases latines correspondent à la phrase en français. Observez l'ordre des mots dans les deux langues. Que remarquez-vous ?

Observons le rôle des terminaisons

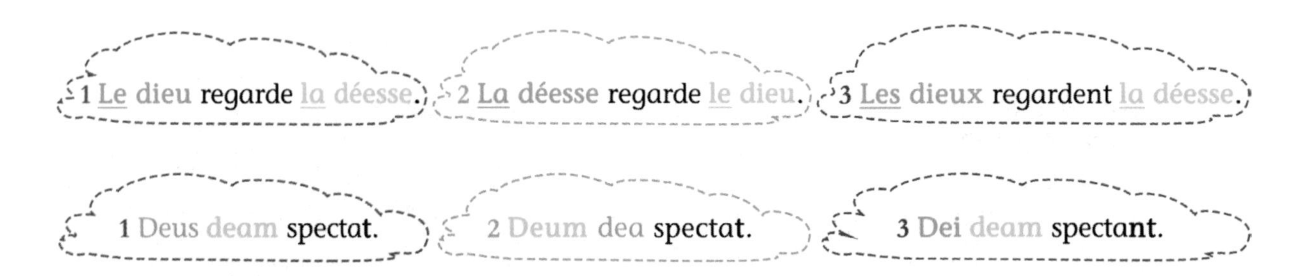

Le nom

4 Identifiez la classe grammaticale des mots soulignés dans les phrases en français. Retrouvez-vous des mots correspondant à ces mots dans les phrases en latin ? Qu'en concluez-vous ?

5 Dans les phrases en français, les mots changent-ils de forme en changeant de fonction ?

6 Observez et comparez le mot qui signifie *déesse* dans les phrases 1 et 2 en latin. Que remarquez-vous ? Voyez-vous un autre mot modifié dans ces phrases ? Qu'en concluez-vous ?

7 Observez la phrase 3 en français et en latin. Quels éléments changent ? Pourquoi ?

Le verbe

8 Lisez les phrases en français et en latin. Observez les terminaisons des verbes français et latins. Que remarquez-vous ?

Concluons

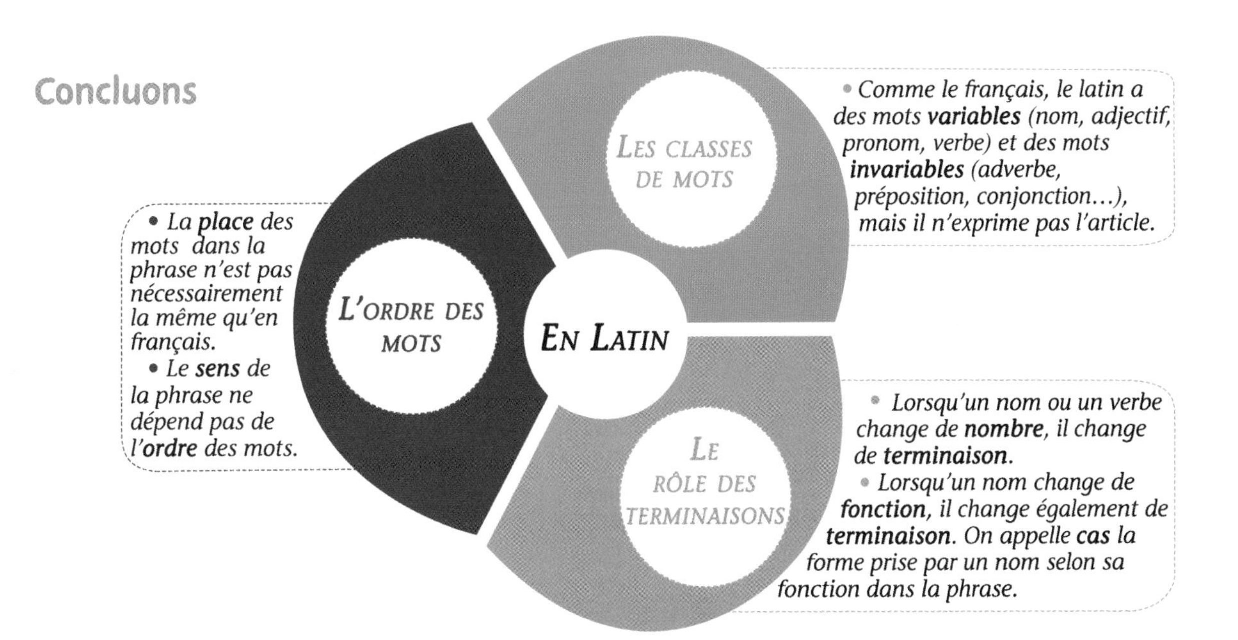

En Latin
L'ordre des mots
• La place des mots dans la phrase n'est pas nécessairement la même qu'en français.
• Le sens de la phrase ne dépend pas de l'ordre des mots.
Les classes de mots
• Comme le français, le latin a des mots variables (nom, adjectif, pronom, verbe) et des mots invariables (adverbe, préposition, conjonction…), mais il n'exprime pas l'article.
Le rôle des terminaisons
• Lorsqu'un nom ou un verbe change de nombre, il change de terminaison.
• Lorsqu'un nom change de fonction, il change également de terminaison. On appelle cas la forme prise par un nom selon sa fonction dans la phrase.

Le latin dans le français

Au fil du temps, le **latin** a subi des modifications pour devenir le **français** que nous parlons et que nous écrivons. Mais de nombreux **mots ou expressions latins** sont restés **identiques en français**. Le français les emploie en francisant leur prononciation.
Comme les Gaulois, nous parlons latin sans le savoir…

1 **Repérez les mots latins dans les deux vignettes d'Astérix et donnez leur sens.**

2 **Que signifient les mots *spécimen, agenda, veto, vidéo, visa* ?**

Saisissez cette adresse dans votre navigateur pour retrouver des **exercices interactifs**.

TEMPUS loquendi

Salve ! Bonjour !

Julia et Marcus accueillent un nouvel arrivant.
SALVE, ADVENA !
SALVETE, PUERI ! LUCIUS SUM.
MIHI NOMEN EST MARCUS.

Le lendemain, Lucius vient leur dire au revoir.
VALE, LUCI AMICE !
VALETE, AMICI !

En suivant Marcus et Julia, vous allez apprendre à parler comme un(e) Romain(e).

✦ Pour interpeller la ou les personne(s) à qui vous voulez vous adresser, utilisez le **vocatif** (de vocare, *appeler*). C'est le cas de l'**apostrophe**. Marce, salve ! *Marcus, salut !*

Nota bene

La forme du vocatif est toujours identique à celle du nominatif (p. 25), sauf au singulier de la 2e déclinaison pour les noms en -us, -ius et -eus (p. 55).

N. **amicus** ➜ V. **amice**, *ami*

N. **Lucius** ➜ V. **Luci**

✦ Pour **dire bonjour**, vous utilisez un verbe à l'impératif.

> quand vous rencontrez **une personne** :
Salve ! *ou* Ave *Porte-toi bien ! (Salut)*

> quand vous rencontrez **deux personnes** ou plus :
Salvete ! *ou* Avete *Portez-vous bien !*

✦ Il existe plusieurs façons de **se présenter**.

> La plus simple : Sum + nom au **nominatif** (*Je suis…*)

> La plus fréquente :
Mihi nomen est + nom au **nominatif** ou au **datif (p. 25)**.
À moi le nom est… (= mon nom est…).

✦ Pour dire **au revoir**, vous utilisez les mêmes formules que pour dire « bonjour » (comme le mot « salut » en français). Vous pouvez aussi employer un autre verbe à l'impératif :
Vale ! *Porte-toi bien !* ou Valete ! *Portez-vous bien !*

Agite ! C'est à vous !

1. Choisissez-vous un prénom pour répondre en latin. Soit vous gardez votre prénom en ajoutant la terminaison -us (prénom de garçon) ou -ia (prénom de fille) pour le nominatif, la terminaison -o ou -iae pour le datif ; soit vous prenez l'un des prénoms portés par les Romain(e)s (p. 13).
2. Présentez-vous en utilisant toutes les façons possibles.
3. Imaginez que vous rencontrez quelqu'un : saluez-le en latin et demandez-lui son nom.
4. Apostrophez en latin l'un ou l'une de vos camarades, puis votre professeur, saluez-les et demandez-leur de se nommer.
5. Une fois qu'ils ont répondu, dites-leur au revoir.

Et en grec ?

Comme en latin, on utilise un verbe à l'impératif et la formule est la même pour se dire bonjour ou au revoir.

Χαῖρε *(Khaire !) Réjouis-toi !*

Χαίρετε *(Khairete !) Réjouissez-vous !*

Discite

› advena, *ae*, m. *ou* f. : nouveau ou nouvelle venu(e), étranger ou étrangère
› condiscipulus, *i*, m. *ou* condiscipula, *ae*, f. : camarade
› discipulus, *i*, m. *ou* discipula, *ae*, f. : élève
› magister, *tri*, m. *ou* magistra, *ae*, f. : professeur

Les prénoms romains

Les prénoms masculins

→ *Les garçons portent le prénom que leur donnent leur père peu après leur naissance* (p. 92).

1 Retrouvez la signification de chacun des prénoms ci-dessous.

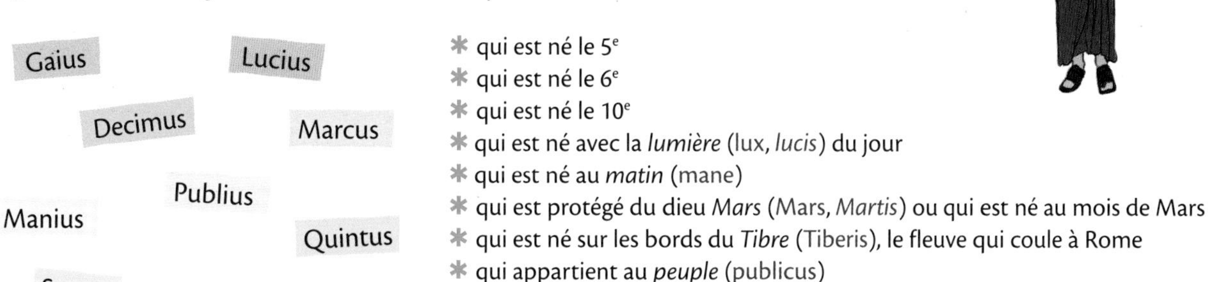

- qui est né le 5ᵉ
- qui est né le 6ᵉ
- qui est né le 10ᵉ
- qui est né avec la *lumière* (lux, *lucis*) du jour
- qui est né au *matin* (mane)
- qui est protégé du dieu *Mars* (Mars, *Martis*) ou qui est né au mois de Mars
- qui est né sur les bords du *Tibre* (Tiberis), le fleuve qui coule à Rome
- qui appartient au *peuple* (publicus)
- qui est une *joie* (gaudium)

Les prénoms féminins

→ *Les filles portent le nom de famille de leur père, simplement transposé au féminin par la terminaison -ia* (p. 92). *Aujourd'hui plusieurs prénoms féminins sont issus du latin, comme Julie qui vient de Julia.*

2 Retrouvez l'origine des prénoms suivants parmi ces noms de grandes familles romaines.
Flavie • Cécile • Émilie • Fabienne • Domitille • Amélie • Hortense

Aemilius	Aurelius	Claudius	Domitius	Flavius	Julius
Antonius	Caecilius	Cornelius	Fabius	Hortensius	Silvius

3 Cherchez d'autres prénoms issus de ces noms.

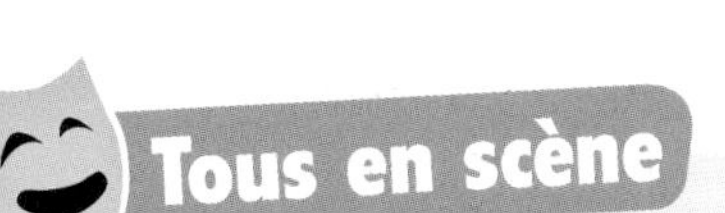

Apprenez par cœur cette réplique de comédie en latin. Récitez-la à vos camarades en l'accompagnant d'une petite mise en scène de votre choix (costume, gestes, ton de la voix).

Le dieu Mercure (Mercurius), fils de Jupiter, se présente aux spectateurs.
Ipse eloquar nomen meum :
Je vais dire moi-même mon nom :
Jovis jussu venio, nomen Mercurio est mihi.
Je viens sur ordre de Jupiter, je m'appelle Mercure.

Plaute (env. 254-184 avant J.-C.), *Amphitryon*, vers 18-19.

Pour continuer à apprendre des expressions de la conversation courante en latin, rendez-vous à la fin de chaque partie (pp. 30, 48, 66, 84, 102, 120).

Partie 1

La mer au temps

La Méditerranée est « la mer qui est au milieu des terres » : mediterraneus en latin.
Elle est le berceau de nombreuses civilisations depuis le IIIe millénaire avant J.-C. Grâce à elle, des hommes ont voyagé, ils ont échangé leurs biens, mais aussi leurs idées, leurs histoires et leur culture, comme en témoignent les récits mythologiques.

Rome
Athènes
Mer Méditerranée
Tyr

MNE
Un parcours pour découvrir la Méditerranée antique par des cartes.

des dieux

Walter Crane, *Les chevaux de Neptune*, huile sur toile, 1892, Neue Pinakothek, Munich.

Lire l'image

Selon la tradition mythologique, la mer est gouvernée par un dieu.
Les Grecs l'appellent Poséidon (Ποσειδῶν), les Romains Neptune (Neptunus).

1. **Comment apparait-il sur l'illustration ?**
2. **Quel est son principal attribut (dans sa main droite) ?**
3. **Comment est représentée la mer ?**

Chapitre 1

Aventures en mer

Dans l'Antiquité, marins, commerçants et voyageurs sillonnaient la Méditerranée en redoutant ses pièges.

Lecture

Bacchus et les pirates

Des pirates ont enlevé un bel adolescent sur l'ile grecque de Chios. Ils ont l'intention de le rendre contre une forte rançon ou de le vendre comme esclave, mais tout à coup leur navire s'immobilise. Leur proie n'est pas un homme, mais un dieu : Bacchus, fils de Jupiter.

Le dieu apparait couronné de grappes de raisins ; il brandit une lance. Autour de lui, sont couchés des tigres, des lynx et des panthères tachetées : ce sont des simulacres de fauves créés par Bacchus. Les hommes sautent par-dessus bord, frappés de folie ou de peur ; le premier, Médon commence à noircir de tout son corps et à se courber nettement, son dos s'incurvant comme un arc. Lycabas s'écrie : « Quel prodige ! En quoi donc te changes-tu ? », mais tandis qu'il parle, sa bouche se met à s'élargir, son nez se recourbe et sa peau se durcit en écailles. De son côté Libys veut faire tourner les rames, mais il voit ses mains rétrécir en un instant : ce ne sont plus des mains, on peut désormais les appeler des nageoires. Un autre pirate tend les bras vers les cordages, mais il n'a plus de bras, et, le dos vouté sur un corps tronqué, il plonge dans les flots : sa queue toute neuve prend la forme d'une faux, comme les cornes de la lune qui se partage et se courbe.

Voici la suite du texte, en latin et en français :

Undique **dant** saltus multaque adspergine **rorant**
emerguntque iterum **redeunt**que sub aequora rursus
inque chori **ludunt** speciem lascivaque **jactant**
corpora et acceptum patulis mare naribus **efflant**.

Publius Ovidius Naso,
Metamorphoseon libri, liber tertius.

Partout ils font des sauts, ils plongent en faisant plein d'éclaboussures, ils émergent à nouveau, ils retournent encore sous l'eau, ils jouent en formant une espèce de chœur, ils projettent leurs corps en avant joyeusement et ils soufflent de leurs larges narines l'eau de mer avalée.

Ovide (43 avant J.-C. - 18 après J.-C.),
Métamorphoses, livre III, vers 666-686.

mare, ***maris*****, n. : la mer**

Les Phéniciens appelaient la Méditerranée « **la grande Mer** », les Grecs disaient ἡ παρ' ἡμῖν θάλασσα (*è par' èmin thalassa*), « la mer de chez nous », et les Romains nostrum mare, « notre mer ».

Écoutez les textes du chapitre à cette adresse :
lienmini.fr/latin5-010

Bacchus et les pirates, mosaïque romaine, IIIe siècle après J.-C., musée national du Bardo, Tunis (Tunisie).

MNE

PEAC

Une **étude d'œuvre**, une **fiche d'activités** et un **parcours Histoire des arts** pour étudier la technique de la **mosaïque**.

Étymologie

Grec ou latin ? Retrouvez l'origine des mots suivants et cherchez leur sens dans un dictionnaire.
maritime • thalassocratie • ultramarin • thalassothérapie

Comprendre le texte et l'image

1 Dans le texte, comment Bacchus punit-il les pirates qui ont tenté de l'enlever ? Relevez les indices qui laissent deviner ce qui leur arrive.

2 Sur la mosaïque, où Bacchus se trouve-t-il ? Quel geste décrit par Ovide permet de l'identifier ?

3 Quel animal est représenté sur le bateau ? Quels mots du texte permettent de l'identifier ?

4 Décrivez les personnages dans l'eau.

5 Entrainez-vous à lire à haute voix les vers latins.

6 Relevez les verbes conjugués en français (l. 14-20). À quelle personne sont-ils ? Quel est leur sujet ?

7 Retrouvez les verbes correspondants en latin (en gras). Que remarquez-vous ?

8 Imaginez une histoire de métamorphose et racontez-la en quelques phrases.

Langue Le verbe, la conjugaison

OBSERVER et REPÉRER

L'enfant et le dauphin

1. Incolae in litore **sunt**. Advenae **exclamant** :
Les habitants sont sur le rivage. Des étrangers s'exclament :

2. « Quid **agitis** ? Quid **spectatis** ?
« Que faites-vous ? Que regardez-vous ?

3. – Puerum et delphinum natantes **videmus** atque **stupemus** :
– Nous voyons un enfant et un dauphin en train de nager et nous nous étonnons :

4. nunc puer delphino **adnatat** et in tergum **insilit**. »
maintenant l'enfant nage à côté du dauphin et il bondit sur son dos. »

5. Incola **ridet** et unum ex advenis **interrogat** :
Un habitant rit et interroge l'un des étrangers :

6. « Salve, advena, quis **es** ? Unde **venis** ?
« Salut, étranger, qui es-tu ? D'où viens-tu ?

7. – Nauta **sum**, e Graecia **venio**. »
– Je suis un marin, je viens de Grèce. »

Enfant chevauchant un dauphin, maison d'Amphitrite, site archéologique de Bulla Regia (Tunisie).

À l'oral

Choisissez la légende qui convient pour l'image en vous aidant du texte.
a. Puer delphino adnatat.
b. Puer in tergum delphini insilit.
c. Puer in tergo delphini est.

Repérez les verbes et leurs terminaisons

1 Phrase 1
a. Identifiez le mode, le temps et la personne des verbes en français.
b. Lisez les verbes latins correspondants (en gras).
c. Quelle terminaison les verbes latins ont-ils en commun ?

2 Phrases 2 à 6 Mêmes consignes.

3 Phrase 7
a. À quelle personne sont conjugués les verbes en français ?
b. Observez les terminaisons des verbes latins correspondants. Que remarquez-vous ?

4 Phrases 2, 3, 6 et 7
a. Relevez le sujet des verbes en français. Est-ce un nom ? un pronom ?
b. Que constatez-vous en latin ?

5 Phrases 1 à 7
Observez et comparez la place du verbe en français et en latin.

Faites le bilan

6 Recopiez le tableau et complétez-le selon le modèle.
a. Écrivez chaque verbe latin dans la bonne colonne.
b. En prenant appui sur vos observations, identifiez et encadrez les terminaisons.

Personne	1re sg.	2e sg.	3e sg.	1re pl.	2e pl.	3e pl.
Verbes					agi[tis]	

Retenez
› et : et
› nunc : maintenant

APPRENDRE

1 La carte d'identité du verbe

Dans le dictionnaire, un verbe latin est présenté par une série de cinq formes appelées **temps primitifs**. Ils permettent de **reconnaitre toutes les autres formes du verbe**. Cette année, vous utiliserez les trois premiers temps primitifs.

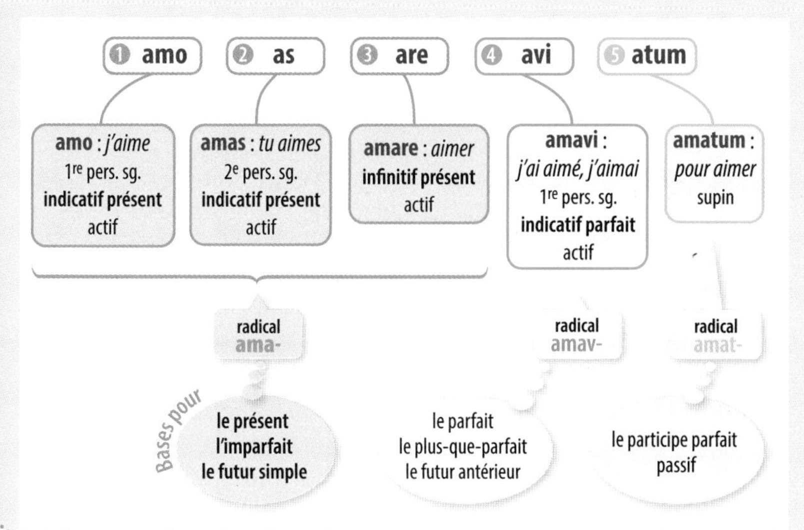

2 Les terminaisons à l'indicatif actif

Les terminaisons de l'indicatif sont utilisées pour tous les **temps** et **modes personnels**.

	Singulier	Pluriel
1re pers.	(je) -o / -m	(nous) -mus
2e pers.	(tu) -s	(vous) -tis
3e pers.	(il / elle) -t	(ils / elles) -nt

La **terminaison** indique la **personne** du verbe, déterminée par son <u>sujet</u>.
➜ <u>Advenae</u> exclamant.
<u>Les étrangers</u> s'exclament.

En général, le **pronom personnel sujet** n'est pas exprimé en latin.
➜ Delphinum videmus.
<u>Nous</u> voyons un dauphin.

Accédez à un **schéma animé et commenté** à cette adresse : **lienmini.fr/latin5-013**

S'EXERCER

Reconnaitre les terminaisons du verbe

1 Observez les terminaisons en gras et identifiez la personne de chaque verbe latin.
spectan**t** • saluta**s** • faci**t** • su**mus** • vide**tis** • veni**o**

2 ➥ Fiche d'exercices

3 a. Recopiez les verbes et encadrez les terminaisons.
dant • habemus • agis • venit
b. Traduisez ces quatre verbes en vous aidant de leurs cartes d'identité.
do, as, are : donner • habeo, es, ere : avoir
ago, is, ere : agir • venio, is, ire : venir

4 ➥ Fiche d'exercices

5 a. Identifiez la personne de chaque verbe. Quel indice le permet ? legunt • specto • auditis • rides
b. Associez chaque verbe à sa carte d'identité.
specto, as, are : regarder • lego, is, ere : lire
audio, is, ire : entendre, écouter • rideo, es, ere : rire
c. Traduisez les verbes.

6 ➥ Fiche d'exercices

Apprendre du vocabulaire

7 Apprenez les temps primitifs et le sens de chaque verbe des exercices 3 et 5.

S'initier à la traduction

8 Traduisez les phrases en respectant l'ordre des mots en français.
1. Nautae (*les marins*, sujet) rident.
2. Delphinum (*un dauphin*, COD) vident.
3. Spectas delphinum (*le dauphin*, COD).
4. E Graecia (*de Grèce*, CC lieu) venimus.
5. Incolae (*les habitants*, sujet) advenam (*l'étranger*, COD) interrogant.

9 Associez chaque phrase latine à sa traduction
1. Advena, salve, quis es ? **2.** Graecus sum.
3. Advenae, salvete, qui estis ? **4.** Graeci sumus.
5. Quid facitis ? **6.** Incolas interrogamus.
a. Que faites-vous ? **b.** Étranger, salut, qui es-tu ? **c.** Nous interrogeons les habitants. **d.** Je suis grec. **e.** Nous sommes grecs. **f.** Étrangers, salut, qui êtes-vous ?

10 ➥ Fiche d'exercices

lienmini.fr/latin5-011 ET latin5-012
Saisissez cette adresse dans votre navigateur pour retrouver des exercices et travailler chaque objectif.

➥ 

Exercices interactifs

Culture

La mer et ses pièges

Poètes et artistes ont mis en images les dangers de la Méditerranée que devaient affronter les navigateurs de l'Antiquité. La traversée du détroit de Messine, réputé pour ses récifs acérés et ses puissants courants, est parmi les plus redoutables.

Les dents de la mer

Scylla aux terribles aboiements vit dans une sombre caverne tournée vers l'ouest. C'est un monstre affreux : elle a douze pieds comme des moignons et six cous immenses ; sur chacun une tête effrayante avec une triple rangées de dents nombreuses, bien serrées, qui puent la mort noire. Enfoncée jusqu'à mi-corps dans sa caverne, elle allonge ses têtes pour pêcher des dauphins, des chiens de mer, parfois un cétacé. Jamais encore des marins n'ont pu se vanter d'être passés par là sans dommage car avec chacune de ses têtes Scylla arrache un homme sur le vaisseau à la proue sombre. À une portée de flèche, au pied de l'autre écueil, la fameuse Charybde engloutit l'eau noire : trois fois par jour elle l'avale et trois fois elle la recrache avec un bruit effroyable. Nul ne peut lui échapper, même avec l'aide de Poséidon.

Homère, IXe s. avant J.-C., *Odyssée*, chant XII, vers 85-100.

1 Lisez le texte. Quel célèbre navigateur a réussi à échapper aux monstres décrits par Homère ?

2 Nommez les monstres. Que font-ils ?

3 En grec, Σκύλλα (*Skulla*) est « celle qui déchire », Χάρυβδις (*Charubdis*) « celle qui attire dans l'abime ». Quels dangers sont ainsi personnifiés ?

1. Stephen Somers (illustrateur américain), *Pris entre Scylla et Charybde*, 2014, collection privée.

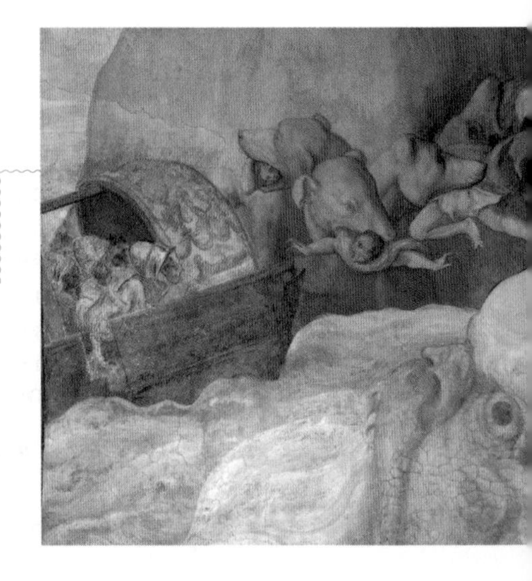

2. Alessandro Allori, fresque du cycle d'Ulysse, 1580, palais Salviati, Florence.

4 Quels détails du texte d'Homère les documents 1 et 2 illustrent-ils ? Décrivez-les.

5 Cherchez ce que signifie l'expression « tomber de Charybde en Scylla ».

• L'Aboyeuse

Scylla se tient cachée au fond d'une caverne obscure, d'où elle sort sa tête par surprise pour attirer les bateaux et les fracasser sur ses rochers. Le haut de son corps a une forme humaine : jusqu'à la ceinture, c'est une jeune fille à la belle poitrine. Mais pour le reste, c'est un poisson monstrueux, avec des queues de dauphin sur un ventre de loup ! Il vaut mieux contourner les caps de l'ile aux Trois Pointes en prenant son temps et faire un long détour que voir une seule fois la monstrueuse Scylla dans sa grotte et entendre résonner sur les rochers les aboiements de ses chiens bleu sombre comme la mer.

Virgile, (70-19 avant J.-C.), *Énéide*, livre III, vers 424-432.

3. Vase en céramique (H. : 30,9 cm) provenant de Medella (Italie du Sud), env. 325-300 avant J.-C., musée du Louvre, Paris.

4. Plaque en terre cuite (H. : 12,5 cm), provenant des Cyclades (Grèce), env. 450 avant J.-C., British Museum, Londres.

❻ Virgile imite souvent Homère. Comparez leur description de Scylla : que constatez-vous ?

❼ Scylla est en partie anthropomorphisée : que veut dire ce mot ?

❽ D'où proviennent les objets (doc. 3 et 4) ? Quels sont leurs points communs ? Décrivez-les.

Pour aller plus loin

Un **parcours mythologique** sur les monstres des légendes antiques.

Histoires de monstres

Scylla n'a pas toujours été un monstre : retrouvez son histoire racontée par Ovide et découvrez pourquoi elle a été victime d'une effrayante métamorphose.

« La belle nymphe venait à peine d'entrer dans l'eau jusqu'à la taille : horreur ! elle se voit entourée de monstres qui aboient. D'abord, elle ne comprend pas qu'ils font partie de son corps : elle veut s'enfuir, elle les repousse, elle a peur de leurs gueules de chien menaçantes. Mais en fuyant elle les entraine avec elle : ses cuisses, ses jambes, ses pieds ont disparu. » (**Ovide**, *Métamorphoses*, livre XIV, vers 59-64).

Résumez l'épisode en quelques phrases.

Chapitre **2**

Dieux et déesses

Comme les hommes, les dieux partent à l'aventure et traversent la Méditerranée.

Lecture

Jupiter et Europe

Jupiter a été séduit par la beauté d'Europe, fille du roi phénicien Agénor. Il se métamorphose en un taureau magnifique pour aller à la rencontre de la princesse qui joue avec ses amies sur la plage.

La blancheur du taureau égale celle de la neige vierge de toute trace de pas. Son cou est puissant, son fanon pend en longs plis gracieux sur son poitrail, ses muscles se gonflent sous la peau. Ses cornes sont petites, mais on dirait des pierres précieuses polies par un artiste. Son front n'a rien de menaçant, ses yeux rien de farouche : tout en lui est doux et caressant. La fille d'Agénor l'admire. Il est si beau ! Il n'a pas du tout l'air féroce. Mais, malgré sa douceur, elle n'ose pas le toucher. Bientôt rassurée, elle s'approche du taureau et tend des fleurs vers sa bouche aussi éclatante que de l'ivoire. [...] La jeune princesse, ignorant sur qui elle s'appuyait, osa même s'assoir sur le dos du taureau.

Voici la suite du texte, en latin et en français :

Cum deus a terra siccoque a litore sensim
falsa pedum primis vestigia **ponit** in <u>undis</u> ;
inde **abit** ulterius mediique per aequora ponti
fert praedam : **pavet** haec litusque ablata relictum
respicit et dextra cornum **tenet**, altera dorso
imposita est ; tremulae sinuantur flamine vestes.

Publius Ovidius Naso,
Metamorphoseon libri, liber secundus.

Alors le dieu, s'éloignant tout doucement de la terre ferme et de la côte, ______ l'empreinte de ses pattes dans les premières vagues qui bordent le rivage pour tromper la jeune fille ; puis il ______ encore et il ______ sa proie au large, en pleine mer. Celle-ci ______ et pendant qu'elle est enlevée elle ______ pour regarder le rivage qu'elle quitte ; de sa main droite elle ______ une corne ; elle a posé l'autre sur son dos ; ses vêtements flottent dans une courbe sinueuse au souffle de la brise.

Ovide (43 avant J.-C. - 18 après J.-C.),
Métamorphoses, livre II, vers 852-875.

<u>unda</u>, *undae*, f. : l'eau (onde, flot, vague)

Le nom unda désigne l'eau qui bouge alors que le nom aqua désigne l'eau en général. Il est souvent utilisé en poésie, au pluriel, pour désigner la mer qui s'agite. Le nom français **onde** a conservé l'image du mouvement de l'eau en prenant le sens moderne de vibration qui se déplace (ondes sonores).

Écoutez les textes du chapitre à cette adresse :
lienmini.fr/latin5-020

L'enlèvement d'Europe, cratère d'Astéas, env. 340 avant J.-C., musée archéologique national de Paestum (Italie).

MNE

PEAC

Une **étude d'œuvre**, une **fiche d'activités** et un **parcours Histoire des arts** pour étudier ce cratère et la technique de la **céramique**.

Étymologie

Complétez ces phrases avec trois mots issus du latin unda.

- Dans les verbes _____ yer et _____ ler, on retrouve l'image de la vague qui bouge.
- L'eau qui envahit la terre provoque une in __________.

Comprendre le texte et l'image

1 **Quels détails physiques Ovide met-il en valeur dans sa description du taureau ?**

2 **À quel moment du récit la scène du vase correspond-elle ?**

3 **Comment l'artiste a-t-il représenté la mer ? Qui reconnaissez-vous devant le taureau ?**

4 **Europe est une princesse. Quels indices le montrent ?**

5 **Lisez à haute voix les vers latins.**

6 **Observez les verbes latins en gras et complétez leur traduction à l'aide de ces verbes.**
s'éloigne • emporte • s'épouvante • se retourne • tient • pose

7 **Observez sur le vase le geste que fait Europe de la main droite et relevez la portion de phrase correspondante en latin (3 mots).**

8 **Le poète et l'artiste sont-ils contemporains ? Lequel des deux aurait pu être une source d'inspiration pour l'autre ?**

9 **Qu'évoque aujourd'hui le nom d'Europe ?**

Langue **Le nom, la déclinaison**

OBSERVER et REPÉRER

Junon, la reine des dieux

1. Juno, deorum regina, Jovis soror uxorque, nuptiarum **dea** est.
Junon, reine des dieux, sœur et épouse de Jupiter, est la **déesse** du mariage.

2. Itaque matronae illam magnam **deam** colunt.
C'est pourquoi les épouses honorent cette grande **déesse**.

3. Omnes **cum** illa potentissima **dea** in pace vivere volunt.
Toutes veulent vivre en paix **avec** cette **déesse** très puissante.

4. **Deae** statuas igitur granatis ac floribus ornant.
Elles ornent donc les statues **de la déesse** avec des grenades et des fleurs.

5. Atque adeo magnae **deae** sacra faciunt.
Et elles offrent aussi des sacrifices à la grande **déesse.**

6. a. Cum **deam** orant, dicunt :
b. « Magna **dea**, benigna sis ! »
a. Toutes les fois qu'elles prient **la déesse**, elles disent :
b. « Grande **déesse**, sois bienveillante ! »

Jacques Dubois (1768-1848), *Junon et le paon*, huile sur toile (88 x 173 cm), Compiègne.
Le paon (pavo, *onis*, m.) et le sceptre (sceptrum, *i*, n.) sont des attributs de Junon.

À l'oral

Choisissez la légende qui convient pour l'image en vous aidant du texte.
a. Juno pavonem tenet.
b. Juno pavonem spectat.
c. Juno pavonem sceptro ferit (*frappe*).

Identifiez les fonctions en français et en latin

1 **Phrase 1** Donnez la fonction du nom **déesse**. Observez la terminaison du mot correspondant en latin.

2 **Phrases 2 et 6a** Mêmes consignes.

3 **Phrases 3, 4 et 5**
a. Identifiez les différentes fonctions du nom **déesse**.
b. Observez la terminaison du nom correspondant en latin. Qu'en concluez-vous ?

4 **Phrases 2, 5 et 6b**
a. À quelle classe grammaticale appartient le mot français souligné ?
b. Observez ses différentes formes en latin. Que remarquez-vous ?

Faites le bilan

5 En vous aidant des réponses précédentes, associez à chaque **fonction** du mot *déesse* sa forme en latin.

Phrase	1	2 et 6a	3	4	5
Fonction		COD			
Nom en latin		deam			

6 Relisez la phrase **6b** en français et en latin. Comment désigne-t-on le fait d'interpeler quelqu'un ?

Retenez

› igitur : donc
› itaque : c'est pourquoi
› -que : et

APPRENDRE

1 La déclinaison

La **déclinaison** latine est l'ensemble des **six cas**, correspondant à des **fonctions**. Les cas sont marqués par des **terminaisons variables** qui s'ajoutent au **radical**.

L'adjectif s'accorde en genre, en nombre et en cas avec le nom auquel il se rapporte.

Fonction	Cas	Exemple
sujet, attribut du sujet	**Nominatif** (N.)	Junon est une **grande déesse**. Juno **magna dea** est.
apostrophe	**Vocatif** (V.)	**Déesse**, sois bienveillante ! **Dea**, benigna sis !
complément d'objet direct (COD)	**Accusatif** (Acc.)	Les épouses honorent **la grande déesse**. Matronae **magnam deam** colunt.
complément du nom (CDN)	**Génitif** (G.)	Elles ornent la statue **de la grande déesse**. **Magnae deae** statuam ornant.
complément d'objet second (COS)	**Datif** (D.)	Elles offrent des sacrifices **à la déesse**. **Deae** sacra faciunt.
complément circonstanciel	**Ablatif** (Abl.)	Elles vivent **avec la déesse**. **Cum dea** vivunt.

2 La carte d'identité du nom

Dans le dictionnaire, un nom latin est toujours présenté ainsi :

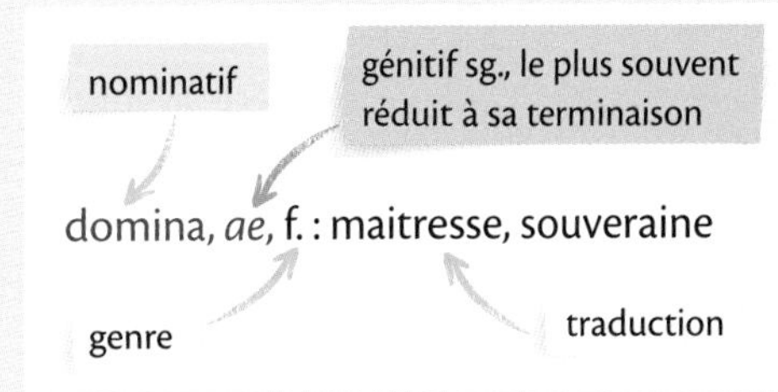

Pour décliner un nom, il faut connaitre son radical. On isole le **radical** du nom en enlevant la terminaison du génitif singulier.

dominae

radical — terminaison du génitif singulier

Accédez à un **schéma animé et commenté** à cette adresse : **lienmini.fr/latin5-023**

S'EXERCER

Reconnaitre les fonctions

1 Identifiez les fonctions des noms soulignés.
1. Le taureau enlève la jeune fille.
2. La jeune fille voit le taureau sur le rivage.
3. L'étranger connait la réputation de la déesse.
4. Le marin offre un présent à la jeune fille.
5. Déesse, écoute la jeune fille.

2 ➥ Fiche d'exercices

Associer les fonctions et les cas

3 Pour chaque nom souligné dans l'exercice 1, indiquez oralement le cas correspondant en latin.

4 ➥ Fiche d'exercices

Reconnaitre les terminaisons du verbe

5 a. Identifiez la personne de chaque verbe.
das • narrant • habet • debemus
b. Donnez sa carte d'identité et traduisez.

Retrouver le radical du nom

6 a. Lisez la forme complète de chaque nom.
fabula, *ae*, f. : légende • poeta, *ae*, m. : poète • fama, *ae*, f. : renommée
b. Retrouvez le radical de chaque nom.

7 ➥ Fiche d'exercices

Apprendre du vocabulaire

8 Écrivez le génitif singulier de chaque nom et apprenez sa carte d'identité complète.
advena, *ae*, f. : étranger
incola, *ae*, m. : habitant
dea, *ae*, f. : déesse
nauta, *ae*, m. : marin

S'initier à la traduction

9 a. Identifiez les fonctions de chaque mot ou groupe de mots souligné. Indiquez le cas correspondant en latin.
1. Sur le rivage, Jupiter **voit** une belle jeune fille.
2. Le dieu **se change** en taureau.
3. **Il enlève** la jeune fille et la **conduit** dans l'ile de Crète.
4. La colère de la déesse Junon **est** grande.

b. Associez chaque verbe à sa traduction (en gras) :
est • se mutat • ducit • videt • rapit.

10 ➥ Fiche d'exercices

EXERCICES
lienmini.fr/latin5-021 ET latin5-022

Saisissez cette adresse dans votre navigateur pour retrouver des exercices et travailler chaque objectif.

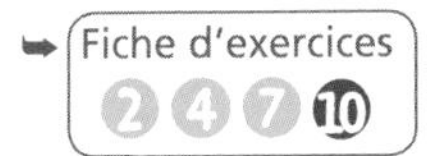

+

Culture Dieux grecs, dieux romains

Grâce aux nombreux échanges en Méditerranée, le panthéon imaginé par les poètes et artistes grecs les plus anciens s'est imposé comme un modèle culturel pour le monde romain.

Les Olympiens

Mont Olympe
Athènes

Dès l'époque d'**Homère** (IXe siècle avant J.-C.), le **mont Olympe**, qui culmine à près de 3 000 mètres au nord de la Grèce, passe pour être « le séjour des dieux immortels ». Il est à l'abri du regard des humains car son sommet reste caché par d'épais nuages. C'est là, en effet, que s'est installé « **le Père Zeus** » avec sa nombreuse famille, frères, sœurs et enfants.

Chacun a la charge d'un domaine et détient des **attributs** (des objets, des insignes, des animaux) qui symbolisent son pouvoir. Tous se retrouvent dans de grands banquets où ils partagent le nectar et l'ambroisie, souvent servis par Hébé (« Jeunesse » en grec).

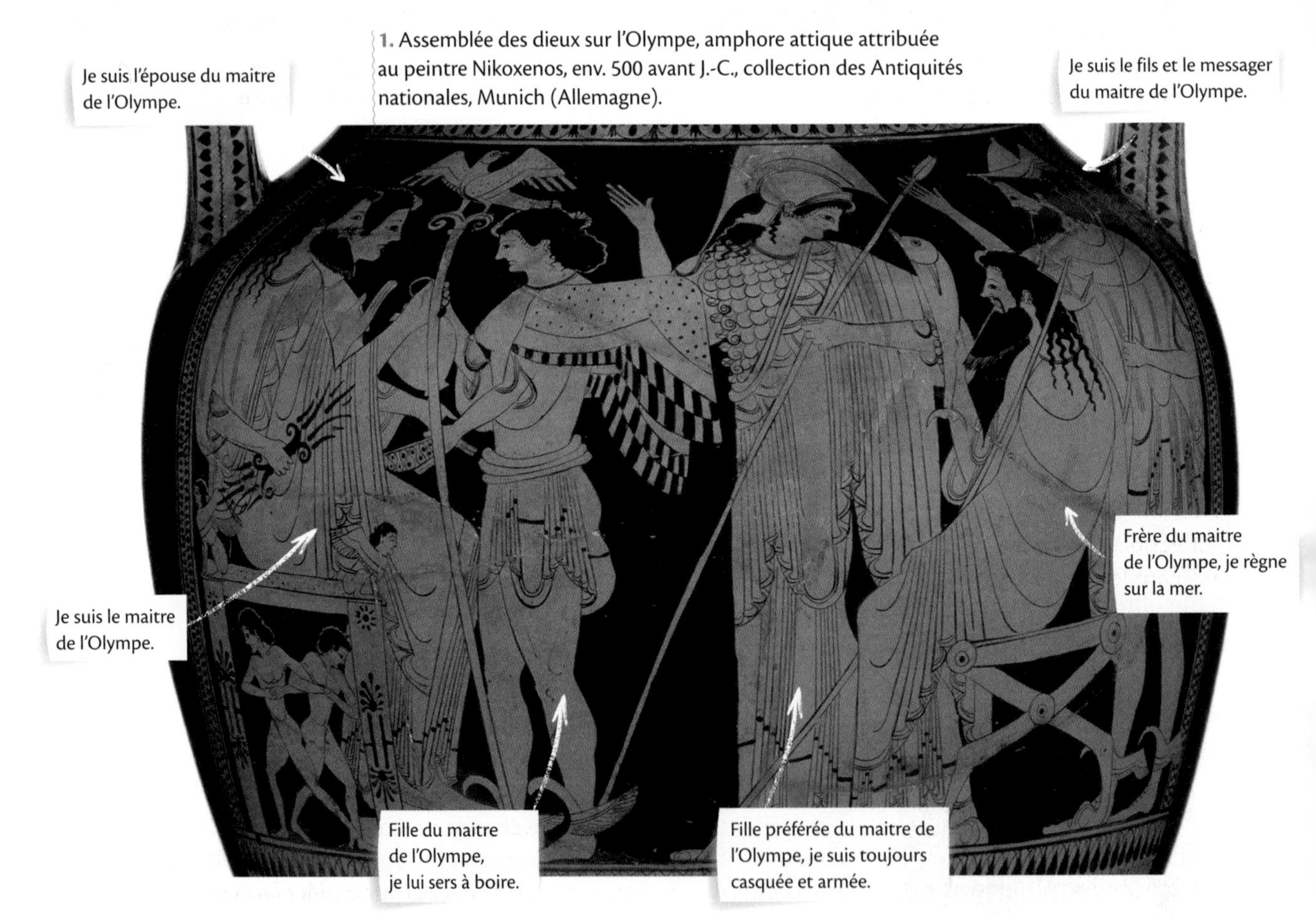
Je suis l'épouse du maitre de l'Olympe.
Je suis le fils et le messager du maitre de l'Olympe.
Frère du maitre de l'Olympe, je règne sur la mer.
Je suis le maitre de l'Olympe.
Fille du maitre de l'Olympe, je lui sers à boire.
Fille préférée du maitre de l'Olympe, je suis toujours casquée et armée.

1. Assemblée des dieux sur l'Olympe, amphore attique attribuée au peintre Nikoxenos, env. 500 avant J.-C., collection des Antiquités nationales, Munich (Allemagne).

1. **Cherchez dans un dictionnaire l'étymologie et le sens précis du nom *panthéon*.**
2. **Comment s'appellent la boisson et la nourriture des dieux ?**
3. **Nommez les divinités grecques qui se présentent sur le vase (doc. 1).**
4. **Quels attributs caractéristiques de leur fonction tiennent le maitre de l'Olympe et son frère ? Choisissez-en deux pour chacun :** paon, poisson, chouette, foudre (bouquet d'éclairs), trident, sandales ailées, sceptre surmonté d'un aigle, casque.

MNE

Un **parcours mythologique** pour en apprendre un peu plus sur les dieux grecs et romains.

• Les *dii consentes* et la triade capitoline

Les Romains ont intégré progressivement les caractéristiques des dieux grecs dans leur propre panthéon. Dès le IIIe siècle avant J.-C., ils honorent douze Olympiens qu'ils nomment **dii consentes** (« dieux conseillers »), à l'image d'un « conseil des ministres ».

Le maitre de l'Olympe est devenu le protecteur attitré de la ville de Rome et de son empire. La **triade** qu'il forme avec sa femme et sa fille est honorée dans le sanctuaire le plus prestigieux de la cité, le temple dit de Jupiter Capitolin, sur la colline du Capitole.

2. Triade capitoline, marbre de Carrare, IIe siècle après J.-C., musée archéologique de Palestrina (Italie).

Deux vers du poète Quintus Ennius donnent le nom des douze dieux en latin.

Juno, Vesta, Minerva, Ceres, Diana, Venus, Mars, Mercurius, Juppiter, Neptunus, Vulcanus, Apollo.

Quintus Ennius (239-169 avant J.-C.), *Annales*, vers 60-61.

5 Recopiez chaque nom de divinité en latin, donnez la traduction en français puis notez le nom équivalent dans le panthéon grec.

6 Nommez en latin les divinités qui forment la triade capitoline (doc. 2).

7 Trois oiseaux sont leurs attributs ; deux sont encore visibles sur la sculpture. Nommez-les et précisez à qui ils sont associés.

8 Le troisième a été cassé : à qui était-il associé ? Comparez avec l'amphore (doc. 1) et nommez cet oiseau.

APPRENTI ARCHÉOLOGUE

Tête de Turms, env. 510 avant J.-C., musée étrusque de la Villa Giulia, Rome.

À partir du VIIIe siècle avant J.-C., les Étrusques ont introduit en Italie le panthéon des Grecs. Cette tête en terre cuite peinte a été découverte dans le sanctuaire de Portonaccio (près de Rome). Elle était endommagée, mais les archéologues ont pu identifier facilement le dieu que les Étrusques appelaient Turms.

→ **Observez bien son couvre-chef : il était orné d'un attribut caractéristique, fixé derrière l'oreille. Bien qu'il soit cassé, identifiez cet attribut en le comparant avec l'amphore (doc. 1).**

→ **Retrouvez le nom que Turms portait chez les Grecs et chez les Romains.**

Atelier de traduction

Neptune déclenche un déluge

Indigné par la conduite des humains, Jupiter décide de les détruire pour créer une race d'hommes nouvelle et meilleure. Il demande à son frère Neptune de l'aider.

1. Jupiter en colère ne se contente pas de déchainer le ciel dont il est le maitre, mais son frère aux cheveux bleus vient lui apporter le renfort des eaux. [...] Lui-même [Neptune] a frappé la terre de son trident ; celle-ci s'est mise à trembler et sous l'effet de la secousse elle a ouvert les voies des eaux.

2. [...] silvas tenent delphines et altis

les dauphins occupent les forêts,

3. incursant ramis agitataque robora **pulsant**

ils ... contre les branches hautes et ... violemment les chênes qu'ils ont heurtés,

4. nat lupus inter oves, fulvos **vehit** unda leones,

le loup ... au milieu des brebis, l'eau ... les lions au pelage fauve,

5. unda vehit tigres.

Ovide, *Métamorphoses*, livre I, vers 274-275, 283-284 et 302-305.

Entrez dans le texte

❶ Quels renseignements donne le titre ? Et l'introduction ?

❷ Que signifie le nom *déluge* ?

❸ Lisez le premier paragraphe du texte (**1**) puis observez l'image. Quels éléments permettent de reconnaitre le dieu Neptune ?

Identifiez les cas

❹ Identifiez la fonction de chaque nom souligné (**partie 1**) et indiquez le cas correspondant en latin.

❺ **Vers 2, 3, et 4**

a. Identifiez la fonction des noms en bleu en français et indiquez le cas correspondant en latin.

b. Mêmes consignes pour les mots ou groupes de mots en vert.

Identifiez les terminaisons des verbes

❻ **Vers 3 et 4** Quels indices aident à identifier la personne et le nombre de chaque verbe en gras ?

Complétez la traduction

❼ Traduisez les verbes en gras à l'aide de leur carte d'identité.

incurso, as, are : se jeter contre • nato, as, are : nager • pulso, as, are : secouer violemment • veho, is, ere : charrier

❽ En vous aidant des réponses précédentes, traduisez le dernier vers (**5**).

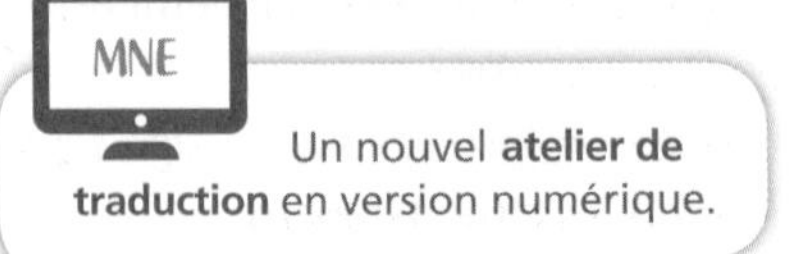

MNE
Un nouvel atelier de traduction en version numérique.

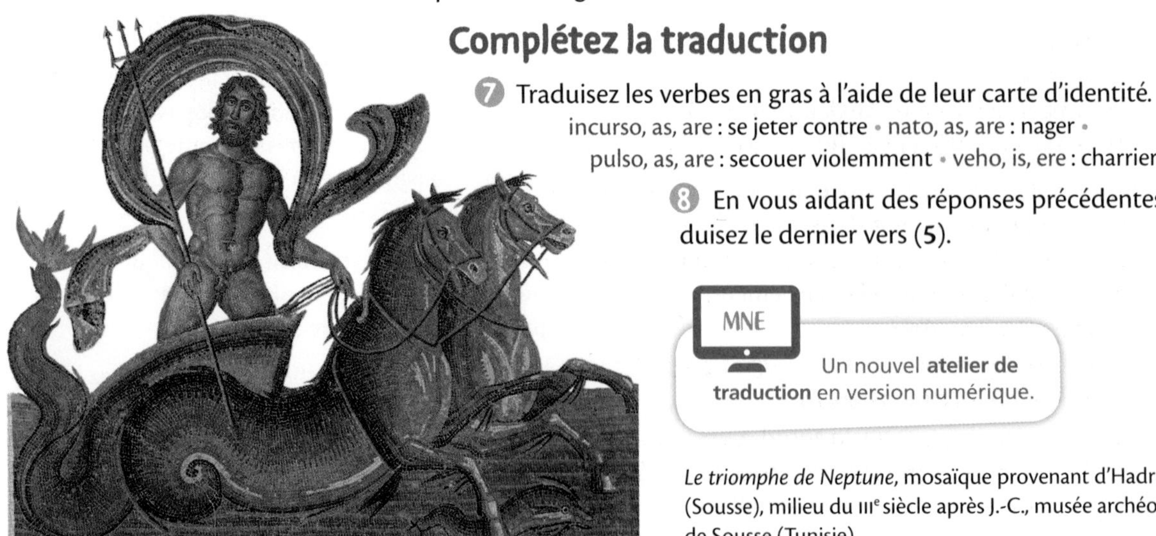

Le triomphe de Neptune, mosaïque provenant d'Hadrumète (Sousse), milieu du IIIe siècle après J.-C., musée archéologique de Sousse (Tunisie).

...aux mots

Retrouvez l'origine des mots français

1 a. Retrouvez quel mot latin est à l'origine de chaque mot français.

mare, *is*, n. (la mer)	fluctuer
oceanus, *i*, m. (l'océan)	maritime
fretum, *i*, n. (détroit, bras de mer)	océanique
fluctus, *us*, m. (flot, vague)	affréter
unda, *ae*, f. (eau agitée, vague)	salin
sal, *salis*, m. (sel, d'où l'eau salée, la mer)	inondable

b. Associez chaque mot français à sa définition.

louer un navire pour transporter des marchandises ou des passagers

qui appartient à l'océan, qui subit l'influence de l'océan

qui contient du sel

être sujet au changement

qui peut être recouvert par les eaux

qui est au bord de la mer, qui concerne la marine

Précisez le sens des mots

2 Neptune a déclenché un déluge. Ce nom vient de diluvium, *ii*, n. qui signifie la destruction par l'eau. **Retrouvez le radical des deux mots en gras et choisissez le sens qui convient.**

a. une pluie **diluvienne** :
❍ torrentielle ❍ peu abondante ❍ printanière

b. un véhicule **antédiluvien** :
❍ rescapé du déluge
❍ emporté par le déluge
❍ qui date d'avant le déluge (= très ancien)

3 Associez à sa définition chacun des mots français formés à partir de l'élément VÉH- / VECT- qui signifie *transporter* (du verbe veho, is, ere, vexi, vectum).

vecteur • véhiculaire • véhicule • véhiculer

a. engin à roues servant à transporter des personnes ou des marchandises

b. segment de droite orienté ; chose ou personne qui sert d'intermédiaire

c. transporter

d. se dit d'une langue servant à communiquer entre peuples de langues différentes

L'arbre à mots

4 a. Tous les mots de la liste, sauf un, sont les fruits de l'arbre à mots : retrouvez l'intrus.

b. L'un d'entre eux est un mot anglais : relevez-le.

effluve • flute • reflux • affluence • fluctuation • fluently • fluide

5 À quel mot de l'exercice 4 associez-vous chaque définition ?

1. Mot désignant le mouvement de la mer qui se retire.
2. Rassemblement d'un grand nombre de personnes dans un même lieu.
3. Se dit d'une circulation qui se fait facilement.
4. Émanation d'odeur, parfum.
5. En anglais, l'expression « to speak ... » signifie « parler couramment ».
6. Fait de varier selon les circonstances.

6 « Je suis un adjectif, je qualifie d'abord "ce qui coule par-dessus (super en latin) les bords", donc je m'applique à tout ce qui déborde, ce qui est en trop. **Qui suis-je ?** » _ _ _ _ _ _ _ _ *(8 lettres)*

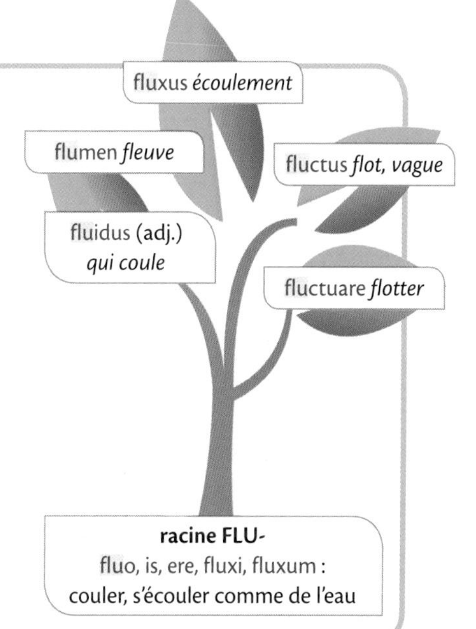

TEMPUS
loquendi

Julia et Marcus se retrouvent.
SALVE MARCE, VALESNE ?
SALVE JULIA, OPTIME VALEO, GRATIAS TIBI AGO !

Lucius arrive à son tour.
SALVETE PUERI, UT VALETIS ?
VALEMUS, GRATIAS TIBI AGIMUS.
ET TU ?
BENE, GRATIAS VOBIS AGO !

Ut valete ? Comment allez-vous ?

✦ **Pour poser la question**, on utilise un mot interrogatif.

Quomodo vales ? ***Comment*** *vas-tu ?*

Ut valete ? ***Comment*** *allez-vous ?*

Vous pouvez aussi poser la question en ajoutant **-ne** (est-ce que ?) au verbe.

Vales**ne** ? *Tu vas bien ?*

✦ **Pour répondre**, vous avez deux possibilités.

> répéter le verbe :

Valemus. *Nous allons bien.*

> utiliser un adverbe :

Bene. *Bien.*

Gratias vobis ago ! Merci !

✦ La formule de politesse est une phrase. On utilise le nom gratia, *ae*, f. à l'accusatif pluriel avec un nom ou un pronom personnel au **datif** (cas de celui à qui on donne).

Gratias **tibi** / **vobis** ago.

J'exprime des remerciements pour toi / vous.

= Je te / vous remercie.

Nota bene

Dans la conversation familière, les Romains abrègent la formule interrogative (comme en anglais *is not it?* devient *isn't it?*) : Valen' ? La formule de politesse peut être réduite au nom gratias (merci).

Agite ! C'est à vous !

1 Formez des équipes et interrogez-vous à tour de rôle en variant les réponses.

2 Quel mot latin retrouvez-vous dans les mots *ingrat* et *gratitude* ? Cherchez le sens de ces mots dans un dictionnaire.

3 Comment dit-on *merci* en italien et en espagnol ? Que constatez-vous ?

4 Quel adverbe latin pourrait indiquer leur état de santé ?

Discite

Adverbes
- bene : bien • male : mal
- melius, rectius : mieux
- optime : très bien • pessime : très mal

Mots interrogatifs
- quomodo ... ? : de quelle manière... ?
- ut ... ? : comment... ?

Nom
- gratia, *ae*, f. : reconnaissance, remerciement

Verbes
- ago, is, ere : pousser en avant, agir, faire, exprimer
- valeo, es, ere : être fort, aller bien

ludendi

Dieux à l'affiche

Les dieux gréco-romains ont souvent inspiré les créateurs de publicités. Trois d'entre eux se présentent à vous.

Affiche illustrée par Hovorka, 1922.

Affiche pour la ligne Allan au Canada, vers 1910.

1 Lisez le discours de chaque dieu à haute voix.

Juppiter sum : rex deorum **in Olympo sum**.

Neptunus, Jovis frater, **sum** : **maris deus sum**.

Mercurius, Jovis filius, sum : patris imperia nuntio et mercatorum **deus sum**.

Carte de collection réalisée pour la société Liebig, 1892.

2 Complétez la traduction et retrouvez par quel dieu chaque discours a été prononcé.

…, le fils de Jupiter : j'annonce les ordres de mon père et … des marchands.

…, le frère de Jupiter : … .

… : … le roi des dieux sur … .

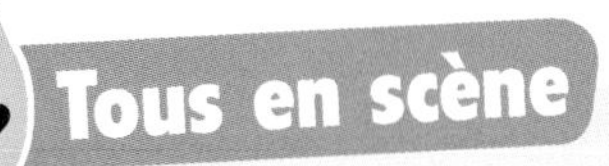

Formez une équipe de deux « acteurs », apprenez par cœur ces répliques de comédie en latin et présentez-les en classe avec une petite mise en scène de votre choix (costumes, gestes, ton de la voix).

Deux vieillards, amis « du même âge » (aequales), se retrouvent.

CALLICLES. O amice, salve, atque aequalis. Ut vales, Megaronides ?	CALLICLÈS. Ô mon ami, salut, mon vieux copain. Comment te portes-tu, Mégaronidès ?
MEGARONIDES. Et tu, Edepol, salve, Callicles ! Valen' ? valuistin' ?	MEGARONIDÈS. Et toi, par Pollux, salut, Calliclès ! Tu te portes bien ? Tu t'es bien porté ?
CAL. Valeo, et valui rectius.	CAL. Je vais bien, mais je me suis déjà mieux porté.
MEG. Quid tua agit uxor ? ut valet ?	MEG. Et ta femme, qu'est-ce qu'elle fait ? comment va-t-elle ?
CAL. Plus quam ego volo.	CAL. Mieux que ce que moi je veux.
MEG. Bene, Hercle, est illam tibi valere et vivere.	MEG. Bien, par Hercule, je te souhaite qu'elle soit toujours en pleine forme et bien vivante.

Plaute (env. 254-184 avant J.-C.), *L'Homme aux trois écus*, Acte I, scène 2, vers 48-52.

Partie

2

Migrations,

Divers récits légendaires racontent comment la guerre et les massacres ont poussé des héros à fuir leur patrie. Ainsi le héros **Énée**, rescapé de la destruction de Troie, erre en Méditerranée. La tempête le jette sur la côte africaine, où **Didon** elle-même, chassée de Tyr, en Phénicie, a fondé sa ville, Carthage.

Troie
Carthage
Mer Méditerranée
Tyr

MNE

Une étude numérique et une fiche d'activités pour exploiter l'œuvre.

fondations

Apollonio di Giovanni, *Le naufrage d'Énée*, peinture sur bois (50 x 164 cm), env. 1450, Yale University Art Gallery, New Haven (États-Unis).

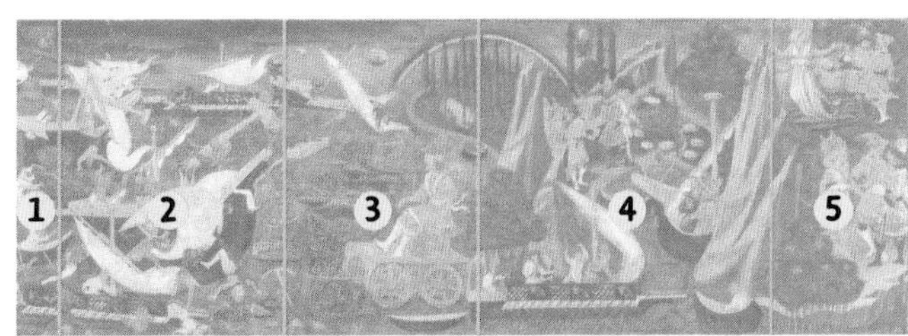

Lire l'image

Le panneau représente un épisode des aventures d'Énée racontées par Virgile (p. 34) : il se lit comme une bande dessinée. **Associez chaque étape au numéro qui convient (1 2 3 4 5).**

- Énée et les rescapés de quelques navires débarquent. Ils s'activent à préparer un repas.
- Libérés par le dieu Éole, les vents se déchainent sur la flotte troyenne, commandée par Énée.
- Énée explore le rivage avec son ami Achate : sa mère Vénus arrive, déguisée en chasseresse. Sans se faire connaitre, elle lui explique qu'il est arrivé dans le royaume de Didon.
- Neptune intervient. Il donne l'ordre aux vents de se retirer et il apaise la tempête.
- Pris dans la tempête provoquée par Éole, plusieurs navires troyens font naufrage.

Chapitre 3

Énée, un migrant venu d'Asie

Après la destruction de Troie, le prince Énée prend la mer dans l'espoir de trouver une nouvelle patrie.

Lecture

En pleine tempête

Énée traverse la Méditerranée avec vingt navires, mais le dieu des vents Éole déchaine sa troupe.

Venti, **velut agmine facto**,
qua data porta, ruunt **et terras turbine perflant**.
Incubuere mari, totumque a sedibus imis
una Eurusque Notusque ruunt creberque procellis
5 Africus, **et vastos volvunt ad litora fluctus**.

Les vents, ______________________,
une fois la porte ouverte, se ruent ______________________.
______________________, et ils se ruent pour la soulever tout entière du
fond de ses abimes, tous ensemble, l'Eurus, le Notus et l'Africus,
10 chargé d'orages, ______________________.

Voici la suite du texte en français :

Les hommes crient, les cordages sifflent. Les nuages dérobent soudain le ciel et la lumière du jour aux yeux des Troyens ; une nuit noire se couche sur la mer. Le fracas du tonnerre a éclaté, le ciel étincelle d'éclairs incessants et tout fait sentir aux hommes la présence de la mort. [...] Une bourrasque gronde, soufflée par 15 l'Aquilon, elle frappe de plein fouet la voile du navire d'Énée et soulève les flots jusqu'au ciel. Les rames se brisent ; alors la proue dévie de sa course et offre aux vagues le flanc du bateau ; survient une montagne d'eau énorme et vertigineuse. Les hommes sont suspendus au sommet des vagues. [...] L'eau s'abat sur la poupe, elle fait tomber le pilote, il roule la tête en avant [...]. Apparaissent quelques 20 hommes nageant dans l'immense tourbillon d'eau, au milieu des armes, des planches et des trésors de Troie éparpillés sur les flots.

Virgile (70-19 avant J.-C.), *Énéide*, livre I, vers 82-119.

volvo, is, ere, volvi, volutum **: rouler, faire rouler**

On retrouve le sens de ce verbe dans plusieurs de ses dérivés comme le nom volumen, rouleau de papyrus (qu'on déroule et enroule pour lire le texte qui y est inscrit) ou l'adjectif volubilis, qui roule vite (d'où *rapide* en ce qui concerne la parole).

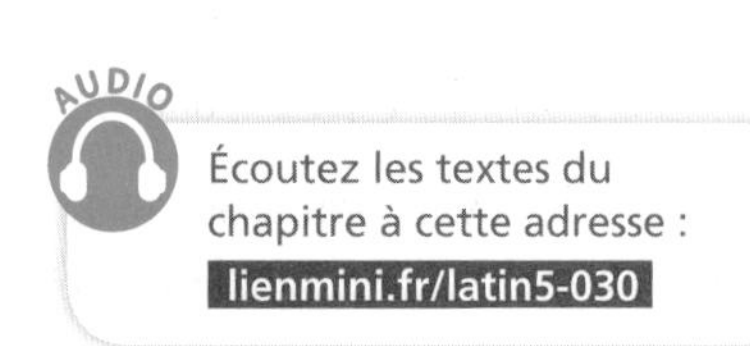

AUDIO
Écoutez les textes du chapitre à cette adresse :
lienmini.fr/latin5-030

Apollonio di Giovanni, enluminure d'un manuscrit de l'*Énéide* (livre I, placée après le vers 97), xve siècle, Bibliothèque Riccardiana, Florence (Italie).

Étymologie

- De quels mots latins sont issus les mots *volubile, volute* et *volume* ? Donnez leur sens.
- Quel est le point commun entre les noms *révolte, révolution, revolver* ?

Comprendre le texte et l'image

1 Lisez à haute voix les vers latins.

2 a. Retrouvez dans cette liste la traduction de chaque groupe de mots latins en gras.
b. Complétez la traduction.
Ils se sont abattus sur la mer • comme une armée en ordre de bataille • et ils roulent d'énormes vagues vers les rivages • et soufflent en tourbillon à travers les terres

3 Au vers 2, quel effet produit l'accumulation des consonnes *t* et *r* (un procédé appelé « allitération ») ?

4 Un verbe est répété dans les premiers vers : recopiez-le en français et en latin. Quel effet produit cette répétition ?

5 À quoi Virgile compare-t-il les vents ? (vers 1)

6 Combien de vents comptez-vous sur l'enluminure ? Nommez ceux qui sont cités dans le texte.

7 De quelle couleur la mer et le ciel apparaissent-ils ? Citez la phrase de Virgile.

8 Qu'arrive-t-il aux hommes ? Comparez le texte et l'image.

Langue Le présent de l'indicatif

OBSERVER et REPÉRER

Le cheval de Troie

Pour s'emparer de la ville de Troie et mettre fin à la guerre qui les oppose aux Troyens, les Grecs imaginent une ruse.

1. Graeci Troiam **obsident** et muros suos diu **defendunt** Troiani.
Les Grecs **assiègent** Troie et les Troyens **défendent** longtemps leurs remparts.

2. Sed Graeci dolum **parant** : equum ligneum **aedificant** et armatis **complent.**
Mais les Grecs **préparent** une ruse : ils **construisent** un cheval en bois et le **remplissent** d'hommes armés.

Les Troyens, ignorant la ruse, tirent le cheval à l'intérieur de la ville.

3. Noctu, Graeci ex equo se **promunt,** Troiae portas **aperiunt,** arcem **incendunt** et urbem **capiunt.**
Pendant la nuit, les Grecs **sortent** du cheval, ils **ouvrent** les portes de Troie, **incendient** la citadelle et **prennent** la ville.

4. Aeneas et Anchises pater et Iulius filius Troiani **sunt** : e patria victa **fugiunt.**
Énée, son père Anchise et son fils Iule **sont** Troyens : ils **fuient** leur patrie vaincue.

Relief sur une amphore (H. : 120 cm), env. 670 avant J.-C., musée archéologique de Mykonos (Grèce).

À l'oral

Choisissez la légende qui convient pour l'image en vous aidant du texte.
a. Graeci Troiae portas aperiunt.
b. Graeci ex equo se promunt.
c. Aenas et Iulius filius fugiunt.

Identifiez les types de conjugaison

1 Identifiez le mode, le temps, la personne des verbes en français. Quels indices permettent de reconnaitre la personne des verbes latins correspondants ?

2 Phrases 1 et 2
a. Comparez les terminaisons des verbes obsid**ent**, defend**unt** et par**ant**. Que remarquez-vous ?
b. À l'aide du lexique, retrouvez leurs cartes d'identité. Leurs trois premiers temps primitifs sont-ils identiques ?

3 Phrase 2 Retrouvez la carte d'identité du verbe complent. Quel verbe, vu dans la phrase **1**, a les mêmes caractéristiques ?

4 Phrases 1 et 3
a. Comparez les terminaisons des verbes defend**unt**, aper**iunt**, cap**iunt**. Que remarquez-vous ?
b. Retrouvez leurs cartes d'identité. Que constatez-vous ?

Faites le bilan

5 a. Recopiez le tableau et classez les verbes aedificant, complent, incendunt, fugiunt. Aidez-vous de vos observations et des indications données par ces cartes d'identité : aedifico, as, are : construire • incendo, is, ere : incendier • fugio, is, ere : fuir.
b. Soulignez la terminaison de chaque verbe.

parant	obsident	defendunt	capiunt	aperiunt

Retenez
› diu : longtemps
› sed : mais

APPRENDRE

1 Les types de conjugaison

Les **verbes latins** sont classés en **cinq types** de **conjugaisons.** On les identifie en observant les **terminaisons** des **trois premiers temps primitifs**, donnés par le dictionnaire.

1re pers. indicatif présent *j'aime*	2e pers. indicatif présent *tu aimes*	infinitif présent *aimer*	
amo,	amas,	amare	
video,	vides,	videre	*voir*
lego,	legis,	legere	*lire*
capio,	capis,	capere	*prendre*
audio,	audis,	audire	*entendre*

Le **verbe** sum (*être*) a sa propre conjugaison.

2 Le présent de l'indicatif : *sum, amo, video*

	sum, es, esse *être*	**amo, as, are** *aimer*	**video, es, ere** *voir*
1re pers. sg. -o/-m	sum	amo	video
2e pers. sg. -s	es	amas	vides
3e pers. sg. -t	est	amat	videt
1re pers. pl. -mus	sumus	amamus	videmus
2e pers. pl. -tis	estis	amatis	videtis
3e pers. pl. -nt	sunt	amant	vident

S'EXERCER

Reconnaitre les terminaisons du verbe

1 Observez les terminaisons et identifiez la personne de chaque verbe : paratis • defendimus • obsides • aedifico • aperis • complet.

2 ➥ Fiche d'exercices

Identifier la conjugaison

3 a. Retrouvez dans le lexique la carte d'identité de chaque verbe.
reperio • scio • sto • mitto • rapio • dico
b. Identifiez la conjugaison de chacun d'eux.

4 ➥ Fiche d'exercices

Conjuguer

5 a. Retrouvez dans le lexique la carte d'identité de chaque verbe et identifiez sa conjugaison.
doceo • moneo • pugno • voco
b. Conjuguez ces verbes oralement au présent de l'indicatif, en latin et en français.

6 ➥ Fiche d'exercices

Apprendre du vocabulaire

7 Indiquez à quelle conjugaison appartient chaque verbe et apprenez sa carte d'identité.
aedifico, as, are : construire • deleo, es, ere : détruire
timeo, es, ere : craindre • terreo, es, ere : effrayer

S'initier à la traduction

8 Traduisez les phrases en respectant l'ordre des mots en français.
1. Aeneas (*Énée*, sujet) Troiae ruinam (*la chute de Troie*, COD) narrat. **2.** Flammae (*les flammes*, sujet) Troiam (COD) delent et populum Troianum (*le peuple de Troie*, COD) terrent **3.** Troiani (sujet) Graecos (COD) timent. **4.** Troiani (*Les Troyens*) fugam (COD) parant.

9 Associez chaque phrase à sa traduction puis reconstituez le récit en mettant les phrases dans l'ordre chronologique.
1. Cassandra, puella Troiana, equum videt.
2. Equum armatis complent.
3. Puella Troianos monet.
4. Graeci equum ligneum aedificant.
5. Clamat : « Graeci dolum parant. »
a. Ils remplissent le cheval d'hommes armés.
b. Elle s'écrie : « Les Grecs préparent une ruse ».
c. Cassandre, une jeune fille troyenne, voit le cheval.
d. Les Grecs construisent un cheval en bois.
e. La jeune fille avertit les Troyens.

10 ➥ Fiche d'exercices

lienmini.fr/latin5-031 ET latin5-032
Saisissez cette adresse dans votre navigateur pour retrouver des exercices et travailler chaque objectif.

+

Exercices interactifs

Culture De Troie au Latium

Les Romains considèrent Énée, fils de la déesse Aphrodite et d'Anchise, cousin du roi de Troie Priam, comme le « père » fondateur de leur histoire.

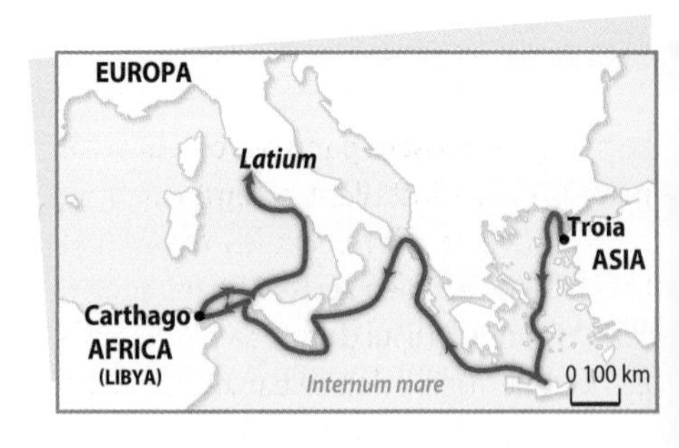

Énée, un prince troyen

Dans l'*Iliade*, Αἰνείας (Aeneas, Énée) est le plus vaillant des guerriers troyens après Hector. Mais alors que le fils ainé de Priam est tué par Achille, Énée échappe à la mort car les dieux veillent sur lui.

Le dieu Poséidon dévoile l'avenir d'Énée.

« Son destin est de survivre, pour que ne disparaisse pas sans descendance la race de Dardanos, de ce héros que Zeus a particulièrement aimé parmi tous ses fils nés de simples mortelles. C'est maintenant le puissant Énée qui règnera sur les Troyens, lui, et les enfants de ses enfants qui naitront après lui. »

Homère, *Iliade*, IXe siècle avant J.-C., chant XX, vers 302-308.

1 Qu'annoncent les paroles de Poséidon chez Homère ?

2 Qui est l'ancêtre de la famille d'Énée ?

Le réfugié

1. Lithographie du XIXe siècle reproduisant une scène peinte sur un vase grec du VIe siècle avant J.-C., bibliothèque des Arts décoratifs, Paris.

Après la prise de Troie par les Grecs, Énée fuit la cité en flammes avec sa famille et quelques rescapés. Les survivants prennent la mer : Énée doit leur trouver une nouvelle patrie. D'escale en escale, ils errent pendant sept ans en Méditerranée.

Énée se présente alors que la tempête l'a jeté sur la côte africaine *(p. 32)*.

« Ipse ignotus, egens, Libyae deserta peragro, Europa atque Asia pulsus. »

« Moi-même, ignoré de tous, manquant de tout, je parcours les déserts de Libye, chassé de l'Europe et de l'Asie. »

Virgile, *Énéide*, 19 avant J.-C., livre I, vers 384-385.

3 Retrouvez sur la lithographie (doc. 1) le nom des personnages et décrivez leurs attitudes. Anchise • Énée • Créüse, femme d'Énée • Ascagne, fils d'Énée

4 Comment Énée se décrit-il dans les vers de Virgile ? Relevez le mot latin traduit par « chassé ». Citez un mot français de la même famille.

L'ancêtre des Romains

Les Troyens finissent par trouver leur terre promise : ils s'installent à l'embouchure d'un fleuve, le Tibre, sur les terres des Latins. Énée est bien accueilli par Latinus, roi des Latins, qui lui donne sa fille Lavinia en mariage. Mais il doit se battre contre un rival jaloux, Turnus, roi des Rutules. Énée tue Turnus en duel. Désormais Troyens et Latins réunis vont vivre ensemble.
Un jour, un lointain descendant du « Père Énée » aura le privilège de fonder la ville appelée à devenir la maitresse du monde : Rome.

Au cours des combats contre les Rutules, Énée est atteint par une flèche. Énée se tient debout, appuyé sur sa longue pique, au milieu de ses soldats. Son fils pleure près de lui, mais lui reste impassible. Le vieux médecin Iapyx cherche à saisir la pointe de la flèche avec une forte pince. C'est alors que Vénus, émue de voir souffrir son fils, vient en secret apporter une plante miraculeuse pour le guérir.

Virgile, *Énéide*, livre XII, vers 398-417.

2. *Énée blessé*, fresque (45 x 38 cm) de la maison de Publius Vedius Siricus à Pompéi, Iᵉʳ siècle après J.-C., musée archéologique de Naples.

5 Quel est le nom du pays où les Troyens installent leur nouvelle patrie ?

6 Avec l'aide du texte, nommez tous les personnages de la fresque et décrivez-les (doc. 2).

Pour aller plus loin

Le sort des réfugiés

Dans un dossier consacré à « la crise des migrants » (octobre 2015), le journal anglais *Time* a rapproché l'histoire mythique d'Énée de celle des réfugiés d'aujourd'hui.

Rédigez un court article pour donner votre point de vue et illustrez-le d'images de votre choix.

Migrants marchant le long d'une ligne de chemin de fer en Hongrie, aout 2015.

Un **parcours** consacré aux réfugiés d'hier et d'aujourd'hui.

Chapitre 4

Des villes nouvelles

À partir du IXe siècle avant J.-C., des populations migrent en Méditerranée et fondent des villes sur le littoral.

Lecture

Une cité en construction

Après une terrible tempête (p. 34), Énée est arrivé en Afrique. Sa mère, la déesse Vénus, lui explique l'histoire du territoire sur lequel il se trouve.

« **Imperium** Dido Tyria regit urbe profecta [...].

« [Ici] Didon, qui est partie de la ville de Tyr, exerce le ______ [...].

Devenere locos ubi nunc ingentia cernis

Ils [les réfugiés de Tyr] parvinrent en ces lieux où tu vois maintenant d'immenses

moenia surgentemque **novae** Karthaginis arcem. » [...]

remparts ainsi que la citadelle de la ______ Carthage en train de s'élever. » [...]

Énée découvre la nouvelle ville en construction.

Miratur molem **Aeneas**, magalia quondam,
5 miratur **portas** strepitumque et strata viarum.
Instant ardentes Tyrii pars ducere **muros**,
molirique **arcem** et manibus subvolvere saxa,
pars optare **locum** tecto et concludere sulco. [...]
Hic **portus** alii effodiunt ; hic alta **theatris**
10 fundamenta locant alii, immanisque **columnas**
rupibus excidunt, scaenis decora alta futuris.

Publius, **Vergilius Maro**, *Aeneis*, liber primus.

______ admire l'ouvrage imposant, autrefois hameau
5 de nomades, il admire les ______, l'animation
bruyante des rues et leur pavage en pierre. Les
Tyriens se pressent au travail, pleins d'ardeur : une
partie d'entre eux élève des ______, construit la
______, roule et monte de ses mains des blocs de
10 pierres ; une autre choisit ______ pour une maison
et l'entoure d'un sillon. [...] Ici, d'autres creusent les
bassins d'un ______ ; là, d'autres placent de profondes
fondations pour des ______ et taillent dans le roc
d'immenses ______, décors grandioses pour les
15 scènes à venir.

Virgile (70-19 avant J.-C.),
Énéide, livre I, vers 340, 365-366 et 421-429.

arx, *arcis*, **f.** : **la citadelle**

Les cités antiques sont bâties autour d'une colline aménagée en place forte. Les Grecs l'appellent ἀκρόπολις (*acropolis*), un nom formé de πόλις (cité) et ἄκρος (qui est le plus haut), les Romains **arx**. Cette « ville haute », sert de refuge en cas d'attaque. C'est aussi le centre religieux de la cité où s'élèvent ses principaux temples.

Écoutez les textes du chapitre à cette adresse :
lienmini.fr/latin5-040

Énée et Didon observant la construction de Carthage, env. 1550, atelier de Giulio Mazzoni, fresque du palais Spada à Rome.

Étymologie

a. Quel nom tiré du grec désigne la partie la plus élevée d'une ville ?

b. Quels mots grecs (cités p. 40) retrouvez-vous dans les noms *police* et *acrobate* ?

c. Le nom arx est un parent de arca, *arcae*, f. qui désigne un coffre bien fermé. Comment nomme-t-on le grand coffre flottant qui a permis à Noé et à sa famille d'échapper au Déluge ?

Comprendre le texte et l'image

1 Lisez à haute voix les trois premiers vers latins et proposez une traduction pour les mots en gras (v. 1 à 3).

2 Un indice montre que Vénus s'adresse directement à son fils : relevez-le en français puis en latin.

3 Relevez en français puis en latin le nom de la reine citée par Vénus, celui de sa ville d'origine et celui de sa ville « nouvelle ».

4 Lisez à haute voix la suite du texte en latin et proposez une traduction pour les mots en gras (v. 4 à 11).

5 Quels vers de Virgile illustrent précisément la fresque ?

6 Où se trouve Énée sur la fresque ? Décrivez-le.

7 Décrivez la tenue et le geste du personnage à ses côtés. Qui est-ce ?

Langue

La 1re déclinaison

OBSERVER et REPÉRER

Énée à Carthage

Élissa, la reine de Carthage, également nommée Didon, accueille Énée.

1. Ibi, incolarum cura, terra fecunda est.
Là, grâce au soin des habitants, la terre est féconde.

2. Incolae in magna copia vivunt et magnificas portas aedificant.
Les habitants vivent dans une grande abondance et ils construisent des portes magnifiques.

3. Regina incolis gratiam refert.
La reine montre de la reconnaissance envers les habitants.

4. Elissa advenae praesentiam fama accipit.
Élissa apprend par la rumeur la présence de l'étranger.

5. Advena Troiae ruinam Elissae reginae narrat deinde in silvis ambulant.
L'étranger raconte la chute de Troie à la reine Élissa puis ils se promènent dans les bois.

Pierre-Narcisse Guérin, *Énée racontant à Didon les malheurs de Troie*, 1819, musée des Beaux-arts de Bordeaux.

À l'oral

Choisissez la légende qui convient pour l'image en vous aidant du texte.
a. Regina cum advena in silvis ambulat.
b. Reginae Troiae historiam advena narrat.
c. Regina advenae terram suam ostendit (*montre*).

Identifiez les cas et les fonctions

1 **Phrases 1 à 3** Identifiez les sujets des phrases en français. Observez les terminaisons des mots latins correspondants. Que remarquez-vous ?

2 Donnez la fonction et le cas des noms **en vert**. Observez les terminaisons des noms latins. Que remarquez-vous ?

3 Mêmes consignes pour les noms **en violet**.

4 Observez les mots **en orange**. Donnez leur fonction et le cas correspondant. Quelles terminaisons remarquez-vous ?

5 Complétez les phrases suivantes.
Les mots ou groupes de mots **en rose** sont des compléments .... Le cas correspondant est ....

Faites le bilan

6 En vous aidant des réponses précédentes, recopiez le tableau et complétez-le avec les mots ci-dessous. Écrivez les terminaisons en rouge.
incolarum • cura (phrase 1) ; incolae • portas (phrase 2) ; regina • incolis (phrase 3) ; advenae (phrase 4) ; ruinam • Elissae reginae • silvis (phrase 5)

	Nominatif	Accusatif	Génitif	Datif	Ablatif
Sg.					
Pl.					

Retenez

› deinde : puis, ensuite
› ibi : là

APPRENDRE

1 La première déclinaison

Tous les noms de la 1re déclinaison se terminent par -ae au génitif singulier.

domina, *ae*, f. : la maitresse		
Cas	Singulier	Pluriel
Nominatif	domina	dominae
Vocatif	domina	dominae
Accusatif	dominam	dominas
Génitif	dominae	dominarum
Datif	dominae	dominis
Ablatif	domina	dominis

- Les noms de la 1re déclinaison sont généralement du genre **féminin**.
- Plusieurs noms de métier et de nationalité sont du genre **masculin.**

nauta, *ae*, m. : marin
agricola, *ae*, m. : paysan
Belgae, *arum*, m. : les Belges

2 La phrase simple : nominatif, accusatif, datif

Sujet du verbe — Complément d'objet direct (COD) — Complément d'objet second (COS)

L'étranger raconte une histoire à la maitresse.

Dominae historiam advena narrat.

Datif — Accusatif — Nominatif

- Après le verbe *être* et les verbes d'état (*devenir, sembler, paraitre*...), le **nominatif** est également le cas de l'**attribut du sujet**.
- Le **datif** est le cas du **COS** (complément d'objet second) ou du **COI** (complément d'objet indirect) avec certains verbes.

S'EXERCER

Décliner

1 À l'oral, déclinez ces noms à l'accusatif singulier puis au génitif pluriel.
copia • aqua • causa • patria • via • terra

2 Écrivez ces noms aux cas indiqués, au singulier puis au pluriel : terra (D.) • causa (Abl.) • incola (Acc.) • nauta (G.) • agricola (V.).

3 ➥ Fiche d'exercices

Conjuguer

4 Traduisez ces verbes à l'aide du lexique : narras • vocant • monet • clamamus • habetis • vides.

5 Donnez le verbe latin correspondant à chaque forme verbale : *nous voyons* • *ils racontent* • *tu appelles* • *vous avertissez* • *elle a.*

6 ➥ Fiche d'exercices

Associer les fonctions et les cas

7 a. À l'oral, identifiez les fonctions des mots soulignés et indiquez le cas correspondant.
1. Troie est sa **patrie**. **2.** Grâce à **la fuite**, l'étranger préserve sa **vie**. **3.** Il aime la patrie de ses ancêtres.
b. Traduisez en latin les mots en gras (patria, *ae*, f. : patrie • fuga, *ae*, f. : fuite • vita, *ae*, f. : vie).

8 ➥ Fiche d'exercices

Apprendre du vocabulaire

9 Retrouvez dans le lexique les cartes d'identité complètes de ces mots et apprenez-les.
audacia • fortuna • pugna • copia • victoria • gratia • memoria • cura • silva • vita

S'initier à la traduction

10 **a.** Identifiez le cas de chaque mot souligné et donnez la fonction correspondante.
1. Flammae Troiam delent et incolas terrent.
2. Advena reginae patriam amat.
3. Regina advenarum fugam fama audit (*apprend*).
4. Fabulas incolis advenae narrant.
5. Regina advenae audaciam laudat (*loue*).
6. Advena reginam relinquit (*quitte*) et regina fugae causam quaerit (*demande*).
b. Traduisez en vous aidant du vocabulaire appris.

11 ➥ Fiche d'exercices

EXERCICES **lienmini.fr/latin5-041 ET latin5-042**
Saisissez cette adresse dans votre navigateur pour retrouver des exercices et travailler chaque objectif.

➥ Fiche d'exercices 3 6 8 11 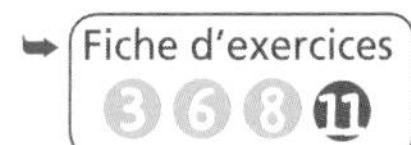  + Exercices interactifs

Culture Fondations mythiques

De nombreuses légendes entourent la fondation des villes au bord de la Méditerranée, comme celle de Carthage et de Marseille.

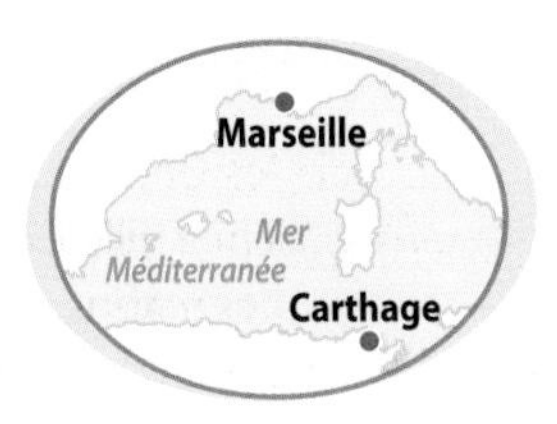

Carthage : la ruse d'Élissa

Élissa, la sœur du roi de Tyr Pygmalion, a fui la Phénicie avec quelques compagnons, après l'assassinat de son mari par son propre frère. Celle qu'on appelle aussi Didon, « l'errante », aurait débarqué sur la côte africaine en 814 avant J.-C. Grâce à une habile négociation, elle obtient un territoire pour fonder une « Ville neuve », *Qart Hadasht* en phénicien, d'où le nom de Karthago, Carthage.

1. *La fondation de Carthage*, illustration pour l'*Énéide* de Virgile, gravure sur bois colorisée, env. 1880.

Arrivée sur la côte africaine, Élissa recherche l'amitié des habitants, qui se réjouissent à l'idée de faire du commerce avec ces étrangers. Elle propose d'acheter un terrain de la taille d'une peau de bœuf pour garantir un lieu de repos à ses compagnons, fatigués par une longue navigation. Elle ordonne alors de couper le cuir de la bête en bandes très étroites, ce qui lui permet d'occuper bien plus d'espace qu'elle n'avait paru en demander. De là vint ensuite le nom de Byrsa [« cuir » en grec] donné à ce lieu. Attirés par l'espoir du gain, les habitants des contrées voisines accourent en foule pour vendre leurs denrées à ces nouveaux venus et ils s'installent parmi eux ; la petite colonie prend bientôt l'aspect d'une ville. […] Carthage est ainsi fondée.

Justin (IIIe siècle), *Histoire universelle*, livre XVIII, 5, 8-14.

2. Stèle portant une inscription punique (du latin Punicus, carthaginois), découverte à Carthage, IIe siècle avant J.-C., BNF.

1 Dans quel pays moderne se trouve Carthage ?

2 Quel moment du récit de Justin est illustré par la gravure (doc. 1) ? Décrivez ce que font les personnages.

3 Observez les inscriptions sur la stèle (doc. 2). On attribue aux ancêtres des Carthaginois l'invention de l'alphabet. D'où vient le nom *alphabet* ? (p. 8)

Marseille : le mariage de Gyptis

Marseille, que les Grecs nommaient Μασσαλία et les Romains Massilia, est la plus ancienne ville de France. Elle aurait été fondée vers 600 avant J.-C. par de jeunes marins, à la fois pêcheurs et pirates, venus de Phocée, une ville grecque dans le golfe de Smyrne (aujourd'hui Izmir en Turquie).

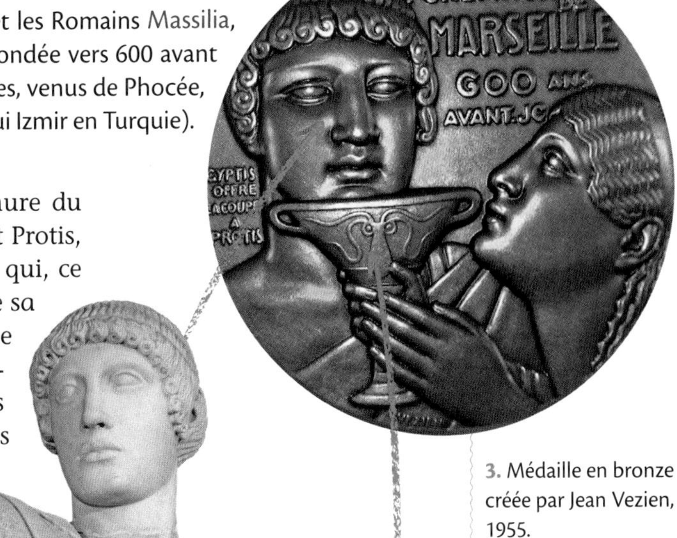

3. Médaille en bronze créée par Jean Vezien, 1955.

Arrivés dans le golfe où se trouve l'embouchure du Rhône, les Phocéens, commandés par Simos et Protis, vinrent demander l'hospitalité au roi Nannus qui, ce jour-là, était en train de célébrer le mariage de sa fille Gyptis : selon l'usage de son peuple, elle devait épouser l'homme qu'elle choisirait elle-même au cours du banquet. Tous les prétendants participaient au festin, où furent aussi invités les Grecs. Le roi appelle sa fille, lui ordonne d'offrir de l'eau à celui qu'elle choisit comme époux : sans regarder les autres convives, la princesse se tourne vers les Grecs et va présenter l'eau à Protis. Devenu gendre du roi, il reçoit alors de son beau-père le terrain où il voulait bâtir une ville. Ainsi fut fondée Massilia.

Justin, *Histoire universelle*, livre XLIII, 3, 6-12.

4. Apollon, fronton du temple de Zeus à Olympie, 456 avant J.-C., musée d'Olympie.

5. Coupe mycénienne (H. : 16,2 cm), env. 1380-133 avant J.-C., provenant de Rhodes (Grèce), musée du Louvre, Paris.

4 Pourquoi appelle-t-on Marseille « la cité phocéenne » ?

5 Comparez les œuvres : quels éléments le créateur de la médaille a-t-il mis en valeur ? (doc. 3, 4, 5)

6 Comment a-t-il symbolisé l'origine de la ville et son ancienneté ?

APPRENTI ARCHÉOLOGUE

Pièce en argent frappée à Marseille, env. 200 avant J.-C.

À l'origine, Marseille n'était qu'un « comptoir » (un établissement commercial en pays étranger). Au fil du temps, elle est devenue une cité importante qui fabrique sa propre monnaie.

→ **Recopiez les quatre lettres grecques au-dessus du lion. De quel nom sont-elles le début ?**

La déesse de la chasse est représentée sur l'autre face de la pièce : elle était très honorée par les Grecs d'Asie.

→ **Donnez son nom en grec et en latin. Pourquoi figure-t-elle sur une pièce frappée à Marseille ?**

Atelier de traduction

Une déesse et sa ville : Athènes

Athéna et son oncle Poséidon se sont disputés pour décider qui aurait le privilège de faire d'un modeste hameau une brillante cité à son nom. C'est cette dispute que la déesse elle-même, reine des brodeuses, représente sur une tapisserie.

1. Stare deum pelagi longoque ferire tridente aspera saxa facit [...].	**1.** Elle représente le dieu de la mer se tenant debout et frappant de son long trident les rochers rugueux [*dont il fait jaillir un lac salé comme cadeau pour la cité*].
2. At sibi **dat** clipeum, **dat** acutae cuspidis hastam,	**2.** À elle-même, **elle** ... un bouclier, **elle** ... ... à la pointe acérée,
3. **dat** galeam capiti,	**3.** **elle** ... ... pour sa tête,
4. defenditur aegide pectus	**4.** sa poitrine est défendue par l'égide
5. percussamque sua simulat de cuspide terram	**5.** et elle figure la terre frappée de la pointe (de sa lance)
6. edere cum bacis fetum canentis olivae.	**6.** produisant un plant d'... blanc, avec ... .

Ovide, *Métamorphoses*, livre VI, vers 70-82.

Entrez dans le texte

1 Quel évènement Ovide évoque-t-il ?

2 Quels éléments du texte et de l'image aident à reconnaitre les personnages représentés ?

3 Qu'est-ce que l'*égide* ? La voit-on sur le vase ?

Identifiez les types de conjugaison

4 En vous aidant du lexique, identifiez les conjugaisons des verbes facit (**1**), simulat (**5**). Quel est leur sujet ?

5 Identifiez le verbe en gras (personne, conjugaison) et traduisez.

Identifiez les fonctions et les cas

6 a. Indiquez les fonctions des noms en a. vert ; b. rose ; c. violet.
b. Donnez les cas correspondants en latin.

7 a. Cherchez dans le lexique les noms hastam (**2**), galeam (**3**), bacis et olivae (**6**).
b. Identifiez leurs cas et leurs fonctions puis traduisez.

Interprétez le texte

8 Quel présent chaque divinité fait-elle à la cité ?

9 Lequel de ces présents les habitants du hameau préfèrent-ils ?

MNE Un nouvel **atelier de traduction** en version numérique.

Face A d'un cratère à figures rouges sur fond noir (H. : 42,8 cm) provenant de Faléries (Italie), env. 360 avant J.-C., musée du Louvre, Paris.

Reconnaissez les préfixes verbaux

1 Complétez la phrase avec ces mots :
préfixe • dérivé • radical.
N'oubliez pas de faire les accords.

Les verbes ... se forment à l'aide de ... placés avant le ....

2 À partir du radical du verbe do, as, are (*donner*) sont formés plusieurs verbes dérivés.
a. **Associez oralement chaque préfixe au verbe qui convient.**
b. **En prenant appui sur le sens du préfixe, retrouvez la traduction de chaque verbe.**

Préfixes	Verbes	Traduction
ad- (vers)	trado, is, ere	faire sortir, publier
e-/ex- (en sortant de)	perdo, is, ere	ajouter
per- (à travers, de bout en bout)	addo, is, ere	rendre
re-/red- (en arrière)	edo, is, ere	transmettre, livrer
trans- (à travers)	reddo, is, ere	perdre, détruire

3 Associez chaque nom à un verbe de l'exercice 2 et donnez son sens.
reddition • tradition • perdition • édition • addition

Précisez le sens des mots

4 Les mots suivants appartiennent à une famille de mots issue du verbe do, as, are (*donner*).
Reliez chaque mot à sa définition.

donation	personne qui donne son sang, qui fait don d'un organe
donneur	oublier complètement les fautes, les torts d'autrui
redonner	rendre, donner de nouveau
pardonner	cas latin qui indique pour qui se fait l'action exprimée par le verbe (COS ou COI)
datif	contrat par lequel on donne ses biens à un tiers

L'arbre à mots

5 Les mots suivants sont les fruits de l'arbre à mots : recopiez-les, encadrez leur radical et notez le numéro de leur branche.
manufacture • édifice • faculté • confection • maléfice • artificiel

6 Pour chacun des groupes de mots suivants, retrouvez un synonyme dans l'exercice 5.
1. sortilège malfaisant
2. préparation (d'un plat, d'un vêtement)
3. possibilité de faire quelque chose
4. bâtiment en général
5. qui n'est pas naturel mais fabriqué par l'homme
6. usine où l'on travaille à la main

7 Athéna / Minerve est la déesse de la sagesse, mais aussi la protectrice des sciences, des arts et des techniques, dont elle a appris l'usage aux hommes. **Quel nom latin, précisément tiré du verbe *faire* signifie à la fois *artiste* et *artisan* ?**

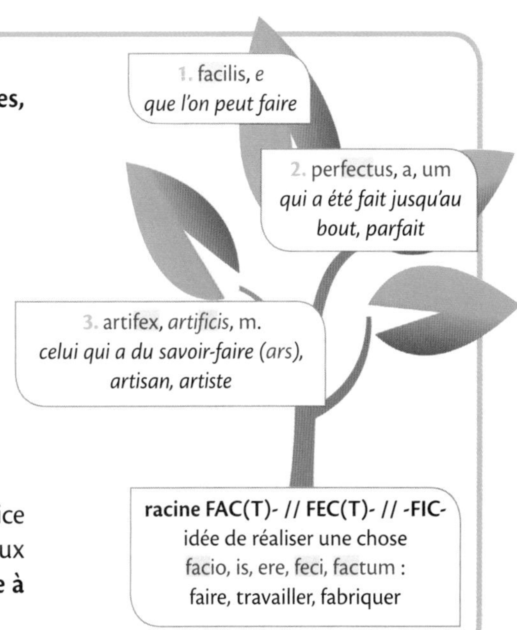

TEMPUS
loquendi

Julia et Marcus rencontrent un inconnu.
ADVENA SALVE ! QUIS ES, QUAESO ?
MAGISTER SUM.

UNDE VENIS ? QUID AGIS ?
E GRAECIA VENIO. AMBULO.

Quis es ? Qui es-tu ?

✦ **Pour poser la question**, vous utilisez le **pronom interrogatif quis**, quae, quid, au nominatif et le verbe **sum**, es, esse (*être*), selon la (les) personne(s) à qui vous vous adressez.

> un homme	> des hommes
Quis es ? (m. sg.)	Qui estis ? (m. pl.)
> une femme	> des femmes
Quae es ? (f. sg.)	Quae estis ? (f. pl.)

✦ **Pour répondre**, choisissez un **nom au nominatif** (attribut du sujet) avec le verbe **être** à la bonne personne.

Unde venis ? D'où viens-tu ?

✦ **Pour poser la question**, vous utilisez l'**adverbe interrogatif unde... ?** (*d'où*) et le verbe **venio**, is, ire (*venir*), au singulier ou au pluriel.

Unde venis ? *D'où viens-tu ?*
Unde venitis ? *D'où venez-vous ?*

✦ **Pour répondre**, choisissez un **nom** à introduire par **une préposition** et à mettre **à l'ablatif**.

> **ex** (**e** devant une consonne) : *de* (*hors de*)
> **de** : *de* (*à partir de* avec une idée de descente)

Quid agis ? Que fais-tu ?

✦ **Pour poser la question**, vous utilisez le **pronom interrogatif** neutre à l'accusatif **quid... ?**, *quoi* (*que*)... *? qu'est-ce que... ?*, et le **verbe ago**, is, ere (*agir, faire*).

Quid agis ? *Que fais-tu ?*
Quid agitis ? *Que faites-vous ?*

✦ **Pour répondre**, choisissez **le verbe** qui correspond à la situation.

Nota bene

On peut accompagner chaque question d'un verbe qui sert de formule de politesse :
quaeso ***je*** *te* (**ou** *vous*) *prie*
quaesimus ***nous*** *te* (**ou** *vous*) *prions*
= *s'il te (vous) plait*

Agite ! C'est à vous !

1 Formez des équipes et interrogez-vous à tour de rôle en suivant l'exemple de Julia et Marcus.

2 Variez les réponses et pensez à ajouter la formule de politesse.

Discite

› ambulo, as, are : se promener
› laboro, as, are : travailler
› lego, is, ere : lire
› ludo, is, ere : s'amuser
› scribo, is, ere : écrire
› studeo, es, ere : étudier

ludendi

Étonnants voyageurs

1 *Deux héros grecs se présentent à vous.*
a. Lisez les paroles de chaque héros à voix haute, en grec (εἰμί = sum).
b. Complétez les phrases.

Amphore grecque, env. 530 avant J.-C., musée du Louvre, Paris.

Εἴμ' Ἡρακλῆς

Je suis ..., que les Romains nomment Ulixes.

Je suis ..., que les Romains nomment Hercules.

Mosaïque romaine, IIe siècle, musée du Bardo, Tunis.

Quiz antique

2 *Cinq personnages ont répondu chacun à trois questions.*
a. Retrouvez la question posée pour chaque réponse donnée.
b. Nommez chacun des personnages en latin et en français.

... ? → Regis filiam uxorem duco.
... ? → E Phocaea venio.
... ? → Nauta pirataque sum.

... ? → De caelo venio.
... ? → Deus sum.
... ? → Regis filiam rapio.

... ? → Regina sum.
... ? → Novam urbem condo.
... ? → E Tyria urbe venio.

... ? → Ex Asia venio.
... ? → Regis filia sum.
... ? → Cum tauro mare transeo.

... ? → Novam patriam quaero.
... ? → Profugus sum.
... ? → E Troia venio.

Tous en scène

Formez deux équipes de trois acteurs : l'une joue l'extrait de comédie en latin et en carthaginois, tandis que l'autre « double » le texte en français.
Hannon, un marchand carthaginois, entre en scène : Agorastoclès envoie son esclave Milphion interroger l'étranger.

AGOR. Adi atque appella, quid velit, quid venerit.
AGOR. Va lui parler, sache ce qu'il veut, pourquoi il est venu.
MIL. Avo ! Quojates estis aut quo ex oppido ?
MIL. Salut ! De quel pays êtes-vous, de quelle ville ?
HANNO. Anno byn mytthymballe udradait annech.
HANNON. Je suis Hannon, fils de Mattan Baal, un sénateur.
AGOR. Quid ait ?
AGOR. Qu'est-ce qu'il dit ?
MIL. Hannonem se esse ait Carthagine, Carthaginiensis Mytthumbalis filium.
MIL. Il dit qu'il est Hannon de Carthage, fils du Carthaginois Mytthumbal.

Plaute (env. 254-184 avant J.-C.), *Le Petit Carthaginois*, vers 990-997.

Partie 3

Le temps

Le Tibre avec la louve allaitant les jumeaux Romulus et Rémus, statue en marbre (1,65 x 3,17 x 1,31 m) découverte à Rome, début du IIe siècle après J.-C., musée du Louvre, Paris.

des origines

Il était une fois… un fleuve en crue, deux nouveau-nés abandonnés sur ses rives et une louve assoiffée. Ainsi commence la glorieuse histoire d'une cité appelée à devenir la maitresse du monde.

Lire l'image

❶ **Le personnage principal est un fleuve personnifié : quel est son nom ? Quelle ville traverse-t-il ?**

❷ **Comment est-il représenté ? Quels objets tient-il ?**

❸ **Quels personnages se trouvent sous sa main droite ? Décrivez-les.**

❹ **Cette statue est qualifiée de « monumentale » : pourquoi ? (Observez ses dimensions.)**

Chapitre 5

Le jour où l'*Urbs* est née

Selon la légende, c'est un descendant du prince troyen Énée, nommé Romulus, qui fonda la ville à laquelle il donna son nom : Roma.

Lecture

Une fondation selon les rites

Romulus <u>urbem</u> condidit. Ad id negotium ex Etruria viros quosdam evocavit qui sacris quibusdam legibus et litteris singula praeciperent ac docerent ut in mysteriis fieri adsolet. [...] **Romulus urbem aedificare** coepit. Aereum vomerem aratro indit missoque sug jugum tauro ac vacca albente, circumvectus extremitates urbis, **profundum sulcum agit**. [...] Qui subsequuntur, iis negotium datum est quas glebas vomer suscitat eas intro reprimant nihilque extra relinquant. Hac linea describitur **murus**. Ubi vero **portam aperire volunt,** ibi vomere exempto suspensoque aratro, transilientes intercapedinem **relinquunt**.

Plutarchus, *Vita Romili.*

__________. Pour cette entreprise il fit venir certains hommes d'Étrurie qui lui apprirent les cérémonies et les formules qu'il fallait observer, comme dans des cérémonies religieuses secrètes. [...] __________ commença __________. Il attache à sa charrue un soc en bronze, et après avoir mis sous le joug un taureau et une vache blancs, ayant fait le tour des limites de sa ville, __________. [...] Les hommes qui le suivent sont chargés de rejeter en dedans les mottes que la charrue soulève et de n'en laisser aucune en dehors. C'est par cette ligne que __________ est tracée. Et là où __________, une fois le soc retiré et la charrue soulevée à cet endroit, __________ un intervalle en sautant par-dessus.

Plutarque (env. 46-125 après J.-C.), *Vie de Romulus*, traduite du grec par Wilhelm Xylander (1600), chapitre XI, 1-4.

Vocabulaire pour traduire

aedifico, as, are : édifier • condo, is, ere : fonder • relinquo, is, ere : laisser • sulcus, *i*, m. : sillon • volo, vis, vult, velle : vouloir

urbs, *urbis*, **f. : la ville**

Pour les Romains, le nom Urbs avec une majuscule désigne nécessairement Rome. La date légendaire de sa fondation, le 21 avril 753 avant J.-C., est à la fois leur fête nationale et « le point zéro » de leur calendrier. Ils datent un évènement en utilisant la formule Ab Urbe condita (« depuis la Ville fondée »), abrégée en AUC.

Écoutez les textes du chapitre à cette adresse : **lienmini.fr/latin5-050**

Romulus trace l'enceinte de Rome, fresque de Giuseppe Cesari, 1639, salle des Horaces et des Curiaces, palais des Conservateurs, musées du Capitole, Rome.

Étymologie

a. Quel est le point commun entre les mots *urbanisme* et *urbanisation* ? Donnez leur sens.

b. L'adjectif urbanus, qui s'applique à celui qui vit en ville, s'oppose à rusticus, « celui qui vit à la campagne ». Quels adjectifs français en sont issus ?

Comprendre le texte et l'image

1 Lisez à haute voix le texte en latin.

2 Traduisez les mots en gras en vous aidant du vocabulaire donné sous le texte.

3 Quel moment précis de l'épisode raconté par Plutarque la fresque illustre-t-elle ?

4 Comment Romulus est-il représenté ? Quel geste fait-il ?

5 D'où sont venus les hommes qui lui ont enseigné les rites de fondation ?

6 Où se trouvent-ils sur la fresque ? Décrivez-les.

7 Quels animaux reconnaissez-vous ?

Langue La 2e déclinaison, le génitif

OBSERVER et REPÉRER

Le meurtre de Rémus

Romulus et Rémus entreprennent de fonder une ville. Les présages désignent Romulus comme roi.

1. Remus sex vulturios videt, Romulus mox vero duodecim.
Rémus voit six vautours, mais Romulus bientôt en voit douze.

2. Vulturiorum numero dei Romulum designant.
Les dieux désignent Romulus par le nombre des vautours.

Romulus creuse le sillon sacré dessinant les contours de Rome. Mais Rémus le franchit en s'écriant :

3. « Romule, **bellum** cum vicinis imminet et muros ridiculos populo das ! »
« Romulus, **la guerre** contre nos voisins menace et tu donnes au peuple des murailles ridicules ! »

4. Romuli **arma** Remus non timet sed Romulus Remum necat.
Rémus ne craint pas **les armes** de Romulus mais ... .

Romulus et Rémus, bas-relief en marbre, Chartreuse de Pavie, Italie.

À l'oral

Choisissez la légende qui convient pour l'image en vous aidant du texte.
a. Romulus cum Remo pugnat.
b. Romulus et Remus similes videntur (*se ressemblent*).
c. Lupa Romulum et Remum alit.

Identifiez les formes de la 2e déclinaison

1 Identifiez la fonction et le cas des noms en bleu. Observez les terminaisons des noms latins. Que remarquez-vous ?

2 Mêmes consignes pour les noms en : a. vert ; b. violet ; c. rose.

3 À la phrase **3**, donnez la fonction du nom *Romulus* puis son cas en latin. Que remarquez-vous ?

4 Quelle est la fonction des noms en orange ? Et le cas correspondant ?

5 Identifiez les fonctions des noms en gras et donnez le cas correspondant. Quelles terminaisons remarquez-vous ?

Faites le bilan

6 En vous aidant des réponses précédentes, recopiez le tableau et complétez-le avec les mots suivants.
Romulus • vulturios (phrase 1) ; dei • Romulum • vulturiorum • numero (phrase 2) ; Romule • populo • vicinis (phrase 3) ; Romuli (phrase 4).

	N.	V.	Acc.	G.	D.	Abl.
Sg.						
Pl.						

7 En vous aidant du lexique, complétez la traduction (phrase 4).

Retenez

› mox : bientôt
› vero : mais

APPRENDRE

1 La deuxième déclinaison

Les noms en -**um** ont la même terminaison au nominatif, au vocatif et à l'accusatif.

Tous les noms de la **2e déclinaison** se terminent par -i au génitif singulier.

	Masculin		Neutre	
	dominus, *i*, m. : le maitre		**bellum, *i*, n. : la guerre**	
Cas	Singulier	Pluriel	Singulier	Pluriel
N.	dominus	domini	bellum	bella
V.	domine	domini	bellum	bella
Acc.	dominum	dominos	bellum	bella
G.	domini	dominorum	belli	bellorum
D.	domino	dominis	bello	bellis
Abl.	domino	dominis	bello	bellis

La plupart des noms en -**us** de la 2e déclinaison sont du genre **masculin.** Pour quelques noms, le nominatif et le vocatif singulier sont en -**er**.

→ puer, *eri*, m. : enfant

Les noms en -**um** sont tous du genre **neutre**.

2 Le génitif

Sujet du verbe — COD du verbe — CDN

Rémus ne craint pas la colère **de** Romulus.

Remus Romuli iram non timet.

Nominatif — Génitif — Accusatif

Le **génitif** est le cas du **CDN** (complément du nom).

En français, le CDN est placé **après le nom** qu'il complète et précédé d'une **préposition (*de*)**. En latin, le génitif est souvent placé **devant le nom** qu'il complète.

S'EXERCER

Décliner

1 Écrivez ces noms aux cas indiqués, au singulier puis au pluriel.
periculum, *i*, n. (G.) • amicus, *i*, m. (D.)
deus, *i*, m. (Abl.) • templum, *i*, n. (N.)

2 ➥ Fiche d'exercices

Conjuguer

3 Conjuguez au singulier et au pluriel l'indicatif présent des verbes designo, as, are (*désigner*) et immineo, es, ere (*être imminent, menacer).*

4 ➥ Fiche d'exercices

Associer les fonctions et les cas

5 Donnez les cas de ces mots. À quelles fonctions correspondent-ils ? Plusieurs réponses sont parfois possibles. amici • templis • populo • verba • locorum

6 a. En vous aidant du lexique, identifiez la déclinaison et le cas de chaque mot souligné puis donnez la fonction correspondante.
1. Puella in <u>silva</u> ambulat. **2.** Deus <u>puellam</u> videt.
3. Romulus et Remus <u>Rheae</u> <u>filii</u> sunt.
4. <u>Lupa</u> <u>gemellis</u> <u>mammas</u> praebet.
b. Traduisez les phrases.

7 ➥ Fiche d'exercices

Apprendre du vocabulaire

8 a. Complétez les cartes d'identité des mots des exercices 1 et 5 puis apprenez-les.
b. Le nom periculum, *i*, n. a donné le mot *péril* en français. Cherchez un adjectif et un adverbe ayant la même origine.

S'initier à la traduction

9 **a.** À l'oral, identifiez les cas des mots soulignés et les fonctions correspondantes.
1. Ascanius, <u>Aeneae</u> <u>filius</u>, <u>in Italia</u> diu regnat. (Ascanius, *ii*, m. : *Ascagne, fils d'Énée*)
2. Cum <u>amicis</u> et magno (*grand*) <u>servorum</u> numero <u>Albam</u> in amoeno (*agréable*) loco condit.
(Alba, *ae*, f. : *Albe, ville fondée par Ascagne*)
3. Per (*pendant* + Acc.) multos (*nombreuses*) annos <u>Ascanii</u> familia in Italia regnat.
b. Traduisez les phrases en vous aidant du lexique.

10 ➥ Fiche d'exercices

lienmini.fr/latin5-051 ET latin5-052
Saisissez cette adresse dans votre navigateur pour retrouver des exercices et travailler chaque objectif.

Exercices interactifs

Culture La naissance de Rome

Les Romains ont entretenu la tradition qui donnait à leur cité des origines légendaires. Les dernières découvertes archéologiques semblent confirmer certaines données du mythe.

Deux nouveau-nés et une louve

Près de quatre-cents ans après l'arrivée d'Énée en Italie, son descendant Numitor, roi d'Albe-la-Longue, est chassé du trône par son frère Amulius. Celui-ci condamne Rhéa Silvia, fille de Numitor, à devenir prêtresse de la déesse Vesta, ce qui lui interdit d'avoir des enfants. Mais le dieu Mars s'unit en secret à Rhéa Silvia, qui accouche de jumeaux, Romulus et Rémus. Furieux, Amulius fait jeter la mère en prison et les bébés dans le Tibre.

C'est bien au destin, à mon avis, qu'on doit l'origine d'une ville aujourd'hui si grande et d'un empire devenu le plus puissant après celui des dieux. En effet, par un merveilleux hasard, signe éclatant de la protection divine, le Tibre était en crue et ses eaux s'étaient répandues en nappes stagnantes sur ses rives. Les serviteurs d'Amulius y abandonnent le berceau des enfants en croyant qu'ils allaient se noyer. À cette époque, les lieux étaient déserts et, selon une tradition bien établie, le courant laissa le berceau à sec. Une louve assoiffée, descendue des montagnes proches, accourut en entendant les vagissements des jumeaux. Elle leur offrit ses mamelles si tendrement que le berger des troupeaux du roi la trouva en train de caresser les enfants de sa langue (on raconte qu'il s'appelait Faustulus) ; il les emporta dans sa bergerie et les confia à sa femme Larentia.

Tite-Live (59 avant J.-C. - 17 après J.-C.), *Histoire romaine*, livre I, chapitre 4, 1-7.

1. Longtemps considérée comme un bronze étrusque du Vᵉ siècle avant J.-C., la louve, emblème de Rome, daterait du XIIᵉ siècle après J.-C., musées du Capitole, Rome.

Devenus grands, Romulus et Rémus se disputent le privilège de fonder une ville. C'est Romulus qui l'emporte : le sillon qu'il trace est l'acte de naissance de Rome (p. 52).

2. Tag sur la Via del Tritone, Rome, mai 2008.

MNE
Une **vidéo** sur les origines de Rome.

1. **Selon la légende, qui est le père de Romulus ?**
2. **Selon l'historien romain Tite-Live, qui veille sur Rome ? Quels évènements le montrent ?**
3. **Qu'est-ce qu'un emblème ? (doc. 1) Quel est le modèle du tag ? (doc. 2)**

•La Ville aux sept collines

Rome a des débuts bien modestes : un hameau de cabanes de bergers sur le Palatin. Attirés par l'espoir d'une vie meilleure, des « hors-la-loi » de toutes sortes affluent : voleurs, esclaves en fuite, réfugiés. Romulus leur ouvre un asile sur le Capitole.
Aujourd'hui, le Forum, cœur de la ville antique, offre une superposition de monuments qui témoignent de près de trois mille ans d'histoire.

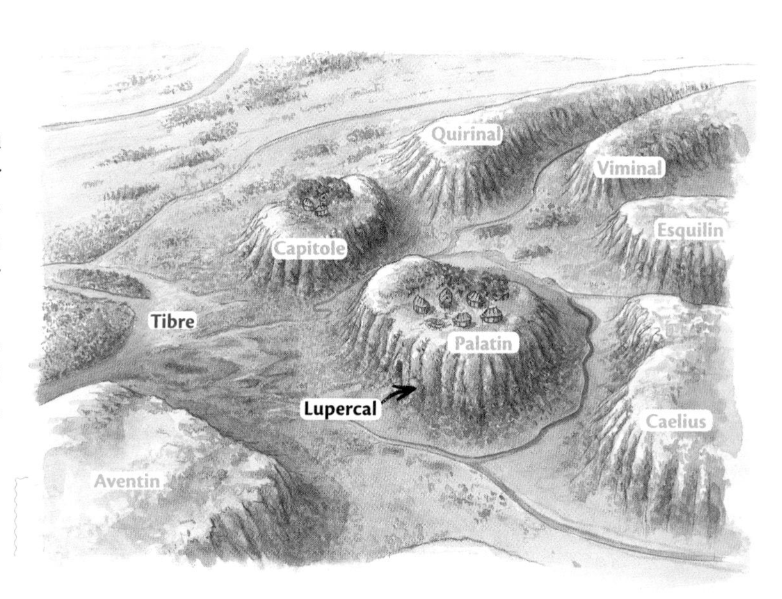

3. Rome au VIIIe siècle avant J.-C., illustration de Claude Quiec.

4. Le forum romain de nos jours.

4 **Nommez les sept collines de Rome. (doc. 3)**

5 **Quelle est celle autour de laquelle Romulus aurait tracé son enceinte ?**

6 **Sur l'une d'entre elles il aurait créé un asile pour les réfugiés qui affluaient : laquelle ?**

7 **Les Romains honoraient la grotte mythique où la louve (lupa) aurait nourri les jumeaux. Quel est le nom de cette grotte ? (doc. 3)**

8 **De quelle colline a été prise la photographie ? (doc. 4)**

APPRENTI ARCHÉOLOGUE

Urne funéraire en forme de cabane, début du VIIIe siècle avant J.-C., musée de la Villa Giulia, Rome.

Des archéologues italiens ont retrouvé sur le Palatin des traces de fondation de cabanes en bois. Ils ont aussi dégagé sur le flanc de la colline les restes de quatre murailles dont la plus ancienne remonte aux environs de 730 avant J.-C. Pour eux, ces vestiges renvoient à la fondation de la cité par Romulus, dont la mémoire a été conservée et mythifiée par la suite.

→ **Comparez la date légendaire de la fondation de Rome avec celle donnée par les découvertes archéologiques. Que constatez-vous ?**

Chapitre 6

Les premières Romaines

Romulus et ses compagnons ont besoin de femmes pour assurer une nouvelle génération de Romains.

Lecture

Un habile guet-apens

Les Romains proposent à leurs voisins de faire alliance par des mariages avec leurs filles, mais ceux-ci les rejettent avec mépris.

Aegre id Romana pubes passa et haud dubie **ad <u>vim</u> spectare res coepit**. Cui tempus locumque aptum ut daret Romulus aegritudinem animi dissimulans **ludos ex industria parat Neptuno Equestri sollemnis** ; Consualia vocat. **Indici deinde finitimis spectaculum jubet** [...].
Multi mortales convenere, studio etiam videndae novae urbis [...] ; jam Sabinorum omnis multitudo **cum liberis ac conjugibus venit** [...]. Ubi **spectaculi tempus venit** deditaeque eo mentes cum oculis erant, tum ex composito orta vis signoque dato juventus Romana **ad rapiendas virgines discurrit**. Magna pars forte, in quem quaeque inciderat, raptae.

Titus Livius, *Ab Urbe condita libri*, liber primus.

La jeunesse romaine prit mal ce refus et sans aucun doute la situation . Pour lui donner l'occasion et le lieu appropriés, Romulus, dissimulant son ressentiment, ; il les appelle Consualia. Ensuite il [...].
Beaucoup de gens affluèrent, curieux de voir aussi la nouvelle ville [...] ; bientôt c'est tout le peuple des Sabins qui [...].
Quand , accaparant tous les yeux et les esprits, alors le coup de force se produisit selon le plan prévu et, au signal donné, la jeunesse romaine . Une grande partie d'entre elles fut enlevée au hasard, chacune par le premier qui lui était tombé dessus.

Tite-Live (59 avant J.-C.-17 après J.-C.), *Histoire romaine*, livre I, 9, 6-11.

vis, Acc. ***vim*****, Abl.** ***vi*****, pl.** ***vires, virium*****, f. : la force**

Le nom signifie d'abord la force physique, la puissance des êtres et des choses (force d'un animal, d'un fleuve, d'un poison, etc.), puis il désigne l'emploi de la force brutale, la violence. Au pluriel, il peut aussi signifier « forces armées, troupes ».

Écoutez les textes du chapitre à cette adresse : **lienmini.fr/latin5-060**

Pierre de Cortone, *L'enlèvement des Sabines*,
huile sur toile (275 × 423 cm), 1629, musées du Capitole, Rome.

MNE

PEAC

Une **étude d'œuvre** et une **fiche d'activités** pour étudier le tableau de Pierre de Cortone.

Étymologie

a. Quel nom latin retrouvez-vous dans *violer, violent, violence* ? Expliquez le sens de ces mots.

b. Relevez les deux intrus qui se sont glissés dans cette liste des antonymes de *violent* : calme • doux irascible • modéré • pacifique • emporté • patient.

Comprendre le texte et l'image

1 Lisez à haute voix le texte en latin.

2 a. Retrouvez dans cette liste la traduction de chaque groupe de mots latins en gras.
arriva le moment du spectacle • s'élança de tous côtés pour enlever les jeunes filles • commença à évoluer vers le coup de force • vint avec femmes et enfants • ordonne d'annoncer le spectacle aux peuples voisins • prépare exprès des jeux solennels en l'honneur de Neptune Équestre
b. Complétez la traduction.

3 Quelles raisons ont poussé Romulus à un « coup de force » ? En quoi consiste-t-il ?

4 Quel moment précis du récit de Tite Live le tableau illustre-t-il ?

5 Décrivez les attitudes des personnages. Quelles émotions expriment-elles ?

6 Où se trouve Romulus ? À quoi le reconnaissez-vous ?

7 Relevez en latin le nom du dieu à qui Romulus consacre le spectacle. Comment le peintre l'indique-t-il dans le décor du tableau ?

8 La tradition est d'honorer ce dieu par des courses de chevaux. Relevez en latin et en français l'adjectif qui le montre.

Langue Le présent de l'indicatif (suite)

OBSERVER et REPÉRER

La trahison de Tarpéia

Après l'enlèvement de leurs filles, les Sabins marchent sur le Capitole et rencontrent Tarpéia, la fille du gardien de la citadelle.

1. Tatius Sabinis praeest : in Capitolium intrare non possunt.
Tatius commande aux Sabins : ils ne peuvent pas entrer dans le Capitole.

2. Ubi ad oppidum **perveniunt**, Tarpeia extra moenia aquam **haurit**.
Quand les Sabins arrivent à la citadelle, Tarpéia puise de l'eau à l'extérieur des remparts.

Tarpéia accepte d'ouvrir la porte aux Sabins en échange d'une récompense.

3. Tarpeia **petit** quod Sabini in sinistris manibus **gerunt** : aureas armillas **cupit**.
Tarpéia demande ce que les Sabins portent à la main gauche : elle désire les bracelets en or.

4. Sed Sabini quoque scuta habent : Tarpeiam obruunt et **interficiunt**.
Mais les Sabins ont aussi des boucliers : ils écrasent Tarpéia et la tuent.

Le châtiment de Tarpéia, 1550, fresque du palais Spada à Rome.

À l'oral

Choisissez la légende qui convient pour l'image en vous aidant du text
a. Tarpeia armillas accipit.
b. Sabini scutis Tarpeiam interficiun
c. Tarpeia extra moenia aquam haurit.

Identifiez les types de conjugaison

1 Phrases 2 et 3
Recherchez dans le lexique les cartes d'identité de ces verbes : haurit, petit et cupit. Quels indices permettent d'identifier le type de conjugaison de chacun ?

2 Phrases 2, 3 et 4
a. Mêmes consignes pour perveniunt, gerunt, interficiunt.
b. Comparez les terminaisons de ces verbes. Que remarquez-vous ?

Identifiez les verbes formés sur *sum*

3 Phrase 1
a. À quelle personne est le verbe praeest ? Et le verbe possunt ? Quelles formes du verbe sum reconnaissez-vous ?
b. Quelle est la fonction du nom *Sabins* ? Et le cas correspondant ?

Faites le bilan

4 a. En vous aidant des observations précédentes, classez les verbes en gras selon leur type de conjugaison dans le tableau.

Type de conjugaison	lego, is, ere *lire*	capio, is, ere *prendre*	audio, is, ire *entendre*
Carte d'identité du verbe			

b. Donnez la 3e personne du singulier et du pluriel de chaque verbe.

Retenez

› extra : à l'extérieur
› quoque : aussi
› ubi : où, quand

APPRENDRE … Le présent de l'indicatif : *lego, capio, audio* et les verbes formés sur *sum*

	lego, is, ere *lire*	capio, is, ere *prendre*	audio, is, ire *entendre*
1re pers. -o/-m	lego	capio	audio
2e pers. -s	legis	capis	audis
3e pers. -t	legit	capit	audit
1re pers. -mus	legimus	capimus	audimus
2e pers. -tis	legitis	capitis	auditis
3e pers. -nt	legunt	capiunt	audiunt

sum, es, esse *être*	possum, potes, posse *pouvoir*
sum	possum
es	potes
est	potest
sumus	possumus
estis	potestis
sunt	possunt

Retrouvez la conjugaison de amo, as, are et video, es, ere **p. 37**.

Les **verbes formés sur** *sum* suivent sa conjugaison.

Le **verbe** ***possum*** commence par :
pos- devant une consonne ;
pot- devant une voyelle.

absum : *je suis absent* • adsum : *je suis présent* • desum : *je manque à* • praesum : *je suis à la tête de, je commande à*

S'EXERCER

Identifier la conjugaison

1 Classez chaque verbe dans la liste qui convient.
invenio • colo • rapio • ferio • facio
dico • aperio • cupio • credo
Liste 1 : lego, is, ere…
Liste 2 : capio, is, ere…
Liste 3 : audio, is, ire…

2 ➥ Fiche d'exercices

Conjuguer

3 Vous avez identifié les conjugaisons des verbes facio, credo, invenio (ex. 1). Donnez la 1re puis la 3e personne du pluriel de chaque verbe en latin et en français.

4 a. Conjuguez au présent de l'indicatif, en latin, ces verbes formés sur sum : adsum • absum • praesum.
b. Traduisez ces formes en français ou en latin :
potestis • potes • il peut • nous pouvons • je peux

5 ➥ Fiche d'exercices

Décliner

6 a. Écrivez ces noms à l'accusatif singulier puis au génitif pluriel : fabula • locus • murus • verbum.
b. Déclinez templum, *i*, n. (*temple*).

7 ➥ Fiche d'exercices

Apprendre du vocabulaire

8 Retrouvez la carte d'identité complète de ces noms à l'aide du lexique et apprenez-la.
praemium • proelium • donum • scutum

9 Retrouvez la carte d'identité complète de ces verbes et apprenez-la.
aperio • cupio • gero • interficio • invenio
pervenio • peto • propono • emitto

S'initier à la traduction

10 **a.** Identifiez les cas des mots soulignés et leurs fonctions.
1. Sabinis Romani ludos parant.
2. Sabinos et Sabinas invitare cupiunt.
3. Sabini Romanos non timent : cum feminis et puellis veniunt.
4. Sed in ludis Romani Sabinas capiunt.
5. Romanorum perfidia pugnae causa est.

b. Traduisez les phrases.

11 ➥ Fiche d'exercices

lienmini.fr/latin5-061 ET latin5-062
Saisissez cette adresse dans votre navigateur pour retrouver des exercices et travailler chaque objectif.

➥ Fiche d'exercices 2 5 7 11 + Exercices interactifs

Culture Romains et Sabins

Après l'enlèvement de leurs filles, les Sabins, menés par Tatius, leur roi, ont déclaré la guerre aux Romains.

La réconciliation

L'affrontement dure déjà depuis quelques années lorsque s'engage une bataille décisive, entre le Capitole, transformé en citadelle, et le Palatin.

1. Jacques-Louis David, *Les Sabines*, 1799, huile sur toile (385 x 522 cm), musée du Louvre, Paris.

Alors, surmontant le désespoir et la peur, les Sabines, devenues les épouses des Romains, se précipitent entre les deux armées, échevelées, les vêtements déchirés. Elles osent s'avancer, au milieu des traits qui volent, pour séparer les combattants en colère. Elles supplient tour à tour leurs pères et leurs maris pour qu'ils ne commettent pas un crime affreux en se couvrant du sang d'un beau-père ou d'un gendre, pour qu'ils ne tuent pas les parents des enfants qu'elles avaient déjà mis au monde. « Si vous n'acceptez pas d'alliance entre vous, tournez votre colère contre nous ! C'est nous la cause de la guerre, c'est nous la cause des blessures et du massacre de nos époux et de nos pères. Nous mourrons plutôt que de vivre sans l'un ou l'autre d'entre vous, veuves ou orphelines. » La scène émeut les combattants ; le silence se fait avec un calme soudain ; alors les chefs s'avancent pour conclure un traité, et non seulement ils font la paix, mais ils font aussi un seul État à partir de deux. Ils mettent en commun la royauté : ils réunissent tout le pouvoir à Rome.

Tite-Live, *Histoire romaine*, livre I, 13, 1-4.

1. **Quels sont les arguments des Sabines pour mettre fin à la guerre ?**
2. **Décrivez la scène peinte (doc. 1). Comment le peintre a-t-il accentué son côté dramatique ?**
3. **À quoi reconnait-on Romulus ?**
4. **Décrivez le décor. Quel est le lieu représenté ?**

Histoire et monnaie

Grâce à leur très large diffusion, les pièces de monnaie sont un outil de « propagande » efficace : elles sont décorées d'images qui contribuent à répandre la glorieuse histoire de Rome dans tous les territoires qu'elle contrôle. Certaines rappellent les légendes de ses origines.

Créé en 290 avant J.-C., le premier atelier romain de monnaies se trouvait sur le Capitole, près du temple de Junon surnommée Moneta, « celle qui avertit ».
C'est la plus haute assemblée de Rome, le Sénat, qui contrôlait la frappe des pièces ; il pouvait en déléguer le privilège à certains magistrats. Ainsi, en 89 avant J.-C., Lucius Titurius qui portait le surnom de Sabinus, le Sabin, fit frapper des deniers d'argent à son nom car il était questeur (magistrat chargé des finances et gardien du Trésor public). Sa famille prétendait descendre du roi Tatius.

MNE — PEAC
Des compléments sur la **numismatique** dans le parcours Histoire des arts.

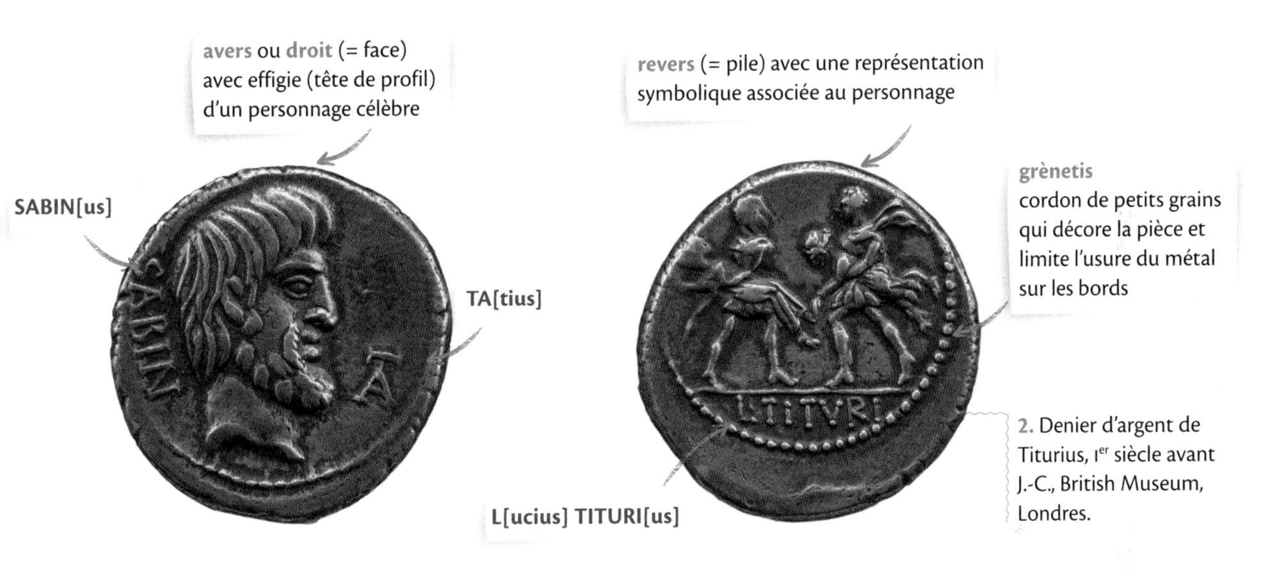

2. Denier d'argent de Titurius, Ier siècle avant J.-C., British Museum, Londres.

5 Observez le denier (doc. 2). Décrivez le personnage représenté sur l'avers : qui est-il ?

6 Décrivez les personnages représentés sur le revers : que sont-ils en train de faire ? De quel épisode légendaire de l'histoire de Rome s'agit-il ?

7 Qui a fait frapper ce denier ? Pourquoi a-t-il choisi de faire figurer ces représentations sur l'avers et le revers ?

8 De quel surnom de Junon est issu le nom *monnaie* ?

APPRENTI ARCHÉOLOGUE

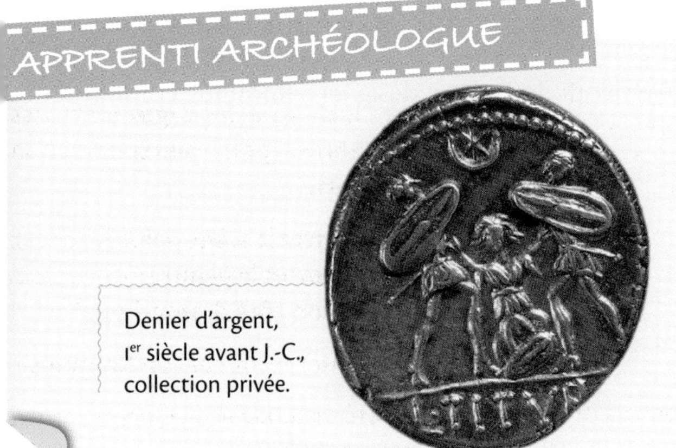

Denier d'argent, Ier siècle avant J.-C., collection privée.

Vous êtes chargé d'identifier ce denier d'argent d'après son revers.

→ **Décrivez les personnages représentés : que sont-ils en train de faire ?**

→ **De quel épisode légendaire de l'histoire de Rome s'agit-il ?**

→ **Qui a fait frapper la pièce ? En quelle année ?**

Atelier de traduction

Du texte...

Romulus, vainqueur d'Acron

Peu après l'enlèvement des Sabines, Romulus repousse l'assaut d'un peuple voisin, les Céniniens, et tue leur roi, Acron. Il le dépouille de ses armes qu'il apporte en trophée à Jupiter sur le Capitole.

1. Feminas finitimorum Romani vi rapiunt.

2. Tum primi Caeninenses contra Romanos bellum sumunt.

3. Adversus Caeninenses Romulus **procedit** ac ducem Acronem singulari proelio **devincit**. Acronis arma **capit**, deinde spolia opima Jovi Feretrio in Capitolio **consecrat**.

1. Les Romains ... par la violence ... .

2. Alors, les premiers, les Céniniens font ... aux Romains.

3. ... ... contre les Céniniens et ... leur chef Acron en combat singulier. Il ... ... d'Acron, puis il ... les dépouilles opimes à Jupiter Férétrien dans le Capitole.

D'après **Pseudo-Aurélius Victor**,
Des hommes illustres de la ville de Rome, II, 3-4.

Entrez dans le texte

1 Quel évènement le texte raconte-t-il ?

2 Qui sont les personnages ? Relevez leurs noms dans le texte latin en vous aidant de l'introduction.

Popule
Romane,
magnam
victoriam
tenemus !

Identifiez les types de conjugaison

3 Identifiez le verbe souligné à la phrase **1** (personne, conjugaison) et traduisez-le.

4 a. En vous aidant du lexique, retrouvez les cartes d'identité et identifiez les conjugaisons des verbes à la phrase **3**.

b. Traduisez ces verbes.

Identifiez les fonctions et les cas

5 Aux phrases **1** et **3**, indiquez les cas puis les fonctions des noms surlignés en a. vert ; b. rose ; c. bleu.

6 À la phrase **2**, quels pourraient être les cas du nom bellum ? Lequel convient dans la phrase ?

7 Complétez la traduction.

Comparez l'image et le texte

8 a. Qu'appelle-t-on des *dépouilles opimes* ? Sont-elles représentées sur l'image ?

b. Quels éléments de l'image désignent Romulus comme roi et vainqueur ?

9 Que dit Romulus ? Traduisez.

MNE

Un nouvel **atelier de traduction** en version numérique.

Jean Auguste Dominique Ingres, *Romulus, vainqueur d'Acron* (détail), 1812, musée du Louvre, Paris.

Précisez le sens des mots

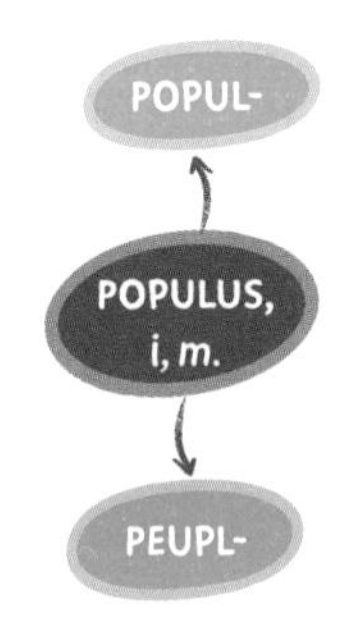

1 Les noms de la liste comportent l'élément POPUL-, « peuple », issu du latin populus, *i*, m.
Associez chaque mot à sa définition.

populace •	• fait d'être connu et aimé d'un grand nombre de personnes
population •	• population trop nombreuse
popularité •	• courant politique qui oppose les intérêts du peuple à ceux de l'élite
populisme •	• terme péjoratif pour désigner le peuple
surpopulation •	• ensemble des personnes qui habitent un espace, une terre

2 À chacun des adjectifs *populaire, populacier, populeux, populiste*, associez un ou plusieurs synonymes de la liste.
célèbre • démagogique • démocratique • renommé • très fréquenté • vulgaire • commun • répandu • folklorique • réaliste

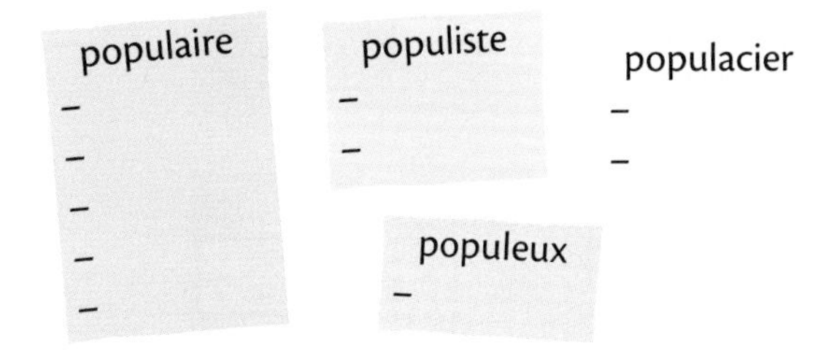

3 Plusieurs mots français comportent l'élément PEUPL- issu du latin populus, *i*, m.
Complétez chaque phrase avec le nom ou le verbe qui convient, choisi dans la liste suivante.
peupler • population • repeupler • dépeupler • surpopulation • peuplades

1. Dans la forêt amazonienne, quelques ... vivent encore loin de la civilisation et conservent un mode de vie tribal.
2. La Sibérie compte peu d'habitants en proportion de sa superficie : la densité de ... est faible.
3. Au VIIIe siècle avant J.-C., des colons grecs se sont installés en Campanie et ont contribué à ... la région.
4. Les écrevisses ont presque disparu de nos rivières que nous essayons de ... .
5. Dans cette région, la population est trop nombreuse pour l'espace et les ressources disponibles : il y a ... .
6. Les habitants quittent les zones rurales qui ont ainsi tendance à se ... .

L'arbre à mots

4 Les mots suivants sont les fruits de l'arbre à mots : recopiez-les, encadrez leur radical et notez le numéro de leur branche.
article • armature • armoirie • armistice • artifice • gendarme

5 Formé du préfixe in- (exprimant la privation) et du nom ars, *artis*, l'adjectif iners, *inertis* signifie « qui n'a pas d'habileté », « qui reste sans activité ».
Citez un adjectif et un nom français qui en sont issus.

6 Quels sont les deux sens du nom anglais *arm* ?

7 « Je suis un grand meuble, fermé par des portes, et je renferme toutes sortes d'ustensiles, de la vaisselle, du linge ou des vêtements.
Qui suis-je ? » _ _ _ _ _ _ _ (*7 lettres*)

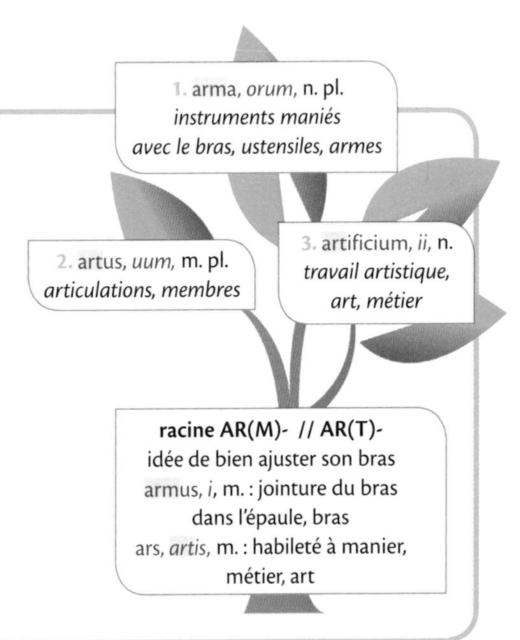

Computemus ! Comptons !

Apprenez à compter en chiffres « romains », comme Julia et Marcus.

✦ Voici les sept signes à connaitre pour écrire les **chiffres romains**.

I	V	X	L	C	D	M
1	5	10	50	100	500	1 000

✦ Et voici les **vingt premiers** chiffres romains.

I	unus, *una, unum*	**XI**	undecim
II	duo, *duae, duo*	**XII**	duodecim
III	tres, *tres, tria*	**XIII**	tredecim
IV	quattuor (quatuor)	**XIV**	quattuordecim
V	quinque	**XV**	quindecim
VI	sex	**XVI**	sexdecim (sedecim)
VII	septem	**XVII**	septemdecim
VIII	octo	**XVIII**	duodeviginti (octodecim)
IX	novem	**XIX**	undeviginti
X	decem	**XX**	viginti

Quot annos natus/nata es ?

Quel âge as-tu ? (mot à mot, *combien d'années tu es né/e*)

✦ Répondez par le nombre de votre choix suivi de l'accusatif pluriel du nom annus, *i*, m. (*année*).

✦ Répétez le verbe : natus es (m.) ou nata es (f.).

Agite ! C'est à vous !

1 Lisez à haute voix les vingt premiers chiffres romains.

2 Formez deux groupes. L'un pose des additions ou des soustractions comme Lucius, l'autre répond, comme Julia et Marcus. Limitez-vous aux chiffres de 1 à 20.

3 Écrivez l'année de votre naissance en chiffres romains.

4 Interrogez vos camarades sur leur âge.

5 Écrivez en chiffres arabes :

a. MMM CD XV
b. DCC LXXX I
c. M C M XL III

Nota bene

Le symbole « zéro » n'existe pas : les Romains utilisaient le pronom nihil (*rien*) pour marquer une quantité nulle. Les nombres sont des déterminants : seuls les trois premiers se déclinent.

Quiz numérique

1 Choisissez la bonne réponse.

a. Un groupe de quatre musiciens est :
❍ un quatuor
❍ un quintette

b. En France, le mandat du président de la République dure cinq ans. C'est :
❍ un septennat
❍ un quinquennat

c. Une personne qui a entre 60 et 69 ans est :
❍ un sexagénaire
❍ un septuagénaire

d. À l'origine dixième mois de l'année, il est aujourd'hui le dernier et s'appelle :
❍ septembre
❍ décembre

e. S'il est autorisé d'un seul côté de la rue, le stationnement est :
❍ bilatéral
❍ unilatéral

f. En Belgique, 90 se dit :
❍ septante
❍ nonante

Merveilles antiques

2 *Plusieurs auteurs antiques ont dressé la liste des sept plus beaux monuments de leur époque. En voici cinq cités avec leurs dimensions par Hygin, un savant bibliothécaire* (Fables, *CCXXIII, env. 10 après J.-C.).*

a. Reliez chaque phrase latine à sa traduction.
b. Transposez en chiffres arabes les mesures données en chiffres romains.
c. Calculez toutes les mesures en mètres, sachant qu'un pied = 29,6 cm et un stade = 185 m.
d. Nommez en latin le lieu où se trouve le monument dessiné.

Monumentum regis Mausoli, altum pedes **LXXX**, circuitus pedes **MCCCXL**.

Rhodi colossus, altus pedes **XC**.

Murus in Babylonia, quem fecit Semiramis latum pedes **XV**, altum pedes **LX**, in circuitu stadiorum **CCC**.

Signum Jovis Olympii, quod fecit Phidias altum pedes **LX**.

Pyramides in Aegypto, altae pedes **LX**.

- La statue de Jupiter d'Olympie, que Phidias fit haute de … pieds.
- La muraille de Babylone, que Sémiramis fit large de … pieds, haute de … pieds, avec un tour de … stades.
- Les pyramides en Égypte, hautes de … pieds.
- Le tombeau du roi Mausole, haut de … pieds, avec un tour de … pieds.
- Le colosse de Rhodes, haut de … pieds.

Tous en scène

Jouez le rôle du maitre qui donne un cours d'histoire : lisez le texte latin à haute voix et notez tous les chiffres au tableau, en chiffres romains et en chiffres arabes.

Romulus Rheae Silviae, Vestalis virginis, filius et, quantum putatus est, Martis cum Remo fratre uno partu editus est. Is cum inter pastores latrocinaretur, octodecim annos natus, urbem exiguam in Palatino monte constituit ante diem undecimum Kalendas Maias, post Troiae excidium, ut qui plurimum minimumque tradunt, anno trecentesimo nonagesimo quarto.

Romulus, fils de Rhéa Silvia, une prêtresse de Vesta, et de Mars, dans la mesure où on l'a cru, vint au monde avec Rémus, son frère jumeau. Après avoir vécu de brigandages au milieu des bergers, à l'âge de dix-huit ans, il fonda une petite ville sur le mont Palatin, le onzième jour avant les calendes de mai (= 21 avril), trois-cent-quatre-vingt-quatorze ans après la ruine de Troie, plus ou moins suivant ceux qui racontent.

Eutrope (IVe siècle après J.-C.), *Abrégé de l'histoire romaine*, livre I, 1.

Partie

4 Le temps

Sept rois ont gouverné Rome. Après Romulus, le Sabin Numa Pompilius, réputé pour son sens de la justice et son respect envers les dieux, organise les lois et les cultes religieux de la cité, en particulier celui de Vesta, la déesse protectrice du foyer, dont le feu sacré ne devait jamais s'éteindre. Selon la légende, Numa était inspiré par la nymphe Égérie qui lui dictait la volonté des dieux, installée dans une grotte près d'une porte de Rome.

des rois

Felice Giani, *Numa Pompilius et Égérie*, 1806, fresque du palais de l'Ambassade d'Espagne à Rome.

Lire l'image

1. **Décrivez les deux personnages principaux. Que signifient leurs gestes ?**
2. **Où se passe la scène ? Quel élément du décor suggère le culte de Vesta ?**
3. **Qu'est-ce qu'une nymphe ? Que signifie le nom *égérie* aujourd'hui ?**

Chapitre 7

Des rois, des armes et des lois

Alors que Rome défie ses voisins, sa puissance et sa gloire augmentent au fil d'épisodes légendaires.

Lecture

Trois contre trois 

Troisième roi légendaire de Rome, Tullus Hostilius, « le Belliqueux », entre en guerre avec le roi d'Albe-la-Longue. Les deux souverains trouvent une solution pour éviter une guerre meurtrière.

Forte in duobus tum exercitibus erant trigemini fratres nec aetate nec viribus dispares. **Horatios Curiatiosque fuisse** satis constat nec ferme res antiqua alia est nobilior. [...] **Cum trigeminis agunt reges ut pro sua quisque patria dimicent ferro** : ibi imperium fore, unde victoria fuerit. Nihil recusatur, **tempus et locus convenit**.

______ ______ qui n'étaient différents ni par l'âge ni par la force. ______ ______, c'est un fait suffisamment établi et presque aucune histoire antique n'est plus célèbre que la leur. [...] ______ ______ : le pouvoir sera là où ira la victoire. Aucun refus n'est exprimé, ______ ______.

Les deux armées s'étaient installées face à face. Au signal, les triplés s'élancèrent. Les armes s'entrechoquèrent, les épées jetèrent des éclairs et un immense frisson d'effroi fit taire les spectateurs. Deux Romains s'écroulèrent l'un sur l'autre, frappés à mort ; les trois Albains étaient blessés. Le dernier des Horaces comprit qu'il ne pourrait résister seul contre trois : il prit donc la fuite pour séparer ses adversaires. Les Curiaces se mirent à le poursuivre, mais ils étaient épuisés par leurs blessures : Horace tua les deux premiers, l'un après l'autre. Le troisième se trainait, incapable de se défendre.

Nec illud proelium fuit. Romanus exultans : « Duos, inquit, fratrum Manibus dedi ; tertium causae <u>**belli**</u> hujusce, **ut Romanus Albano imperet**, dabo ». Male sustinenti arma gladium superne jugulo defigit.

Titus Livius, *Ab Urbe condita libri*, liber primus.

______. Le Romain dit en exultant : « J'ai donné les deux premiers aux Mânes de mes frères. Le troisième, je le donnerai à la cause de cette guerre, ______ ______ ! » Il enfonça son glaive dans le cou de son adversaire, qui n'avait même plus la force de bien tenir ses armes.

Tite-Live (59 avant J.-C.-17 après J.-C.), *Histoire romaine*, livre I, 24-25, 1-12.

bellum, *i*, **n. : la guerre**

Ce nom désigne la guerre en général, personnifiée par la déesse Bellona à qui un temple était dédié à Rome. L'expression casus belli, littéralement « cas de guerre », est toujours employée pour désigner tout acte pouvant conduire à une déclaration de guerre.

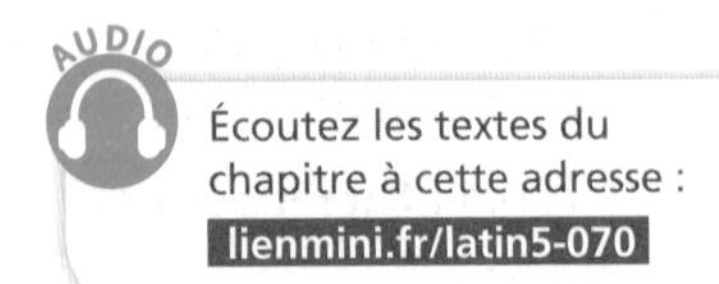

AUDIO
Écoutez les textes du chapitre à cette adresse :
lienmini.fr/latin5-070

Giuseppe Cesari, fresque dans la salle des Horaces et des Curiaces, 1639, palais des Conservateurs, musées du Capitole, Rome.

Étymologie

a. Qu'ont en commun les mots suivants ?
belliciste • belligérant • rebelle • belliqueux

b. Rendez à chacun sa définition.
qui aime la guerre • qui recommence la guerre (qui se révolte) • qui pousse à faire la guerre • qui participe à la guerre

Comprendre le texte et l'image

1 Lisez à haute voix les deux extraits en latin.

2 Complétez la traduction (mots en gras en latin) avec les groupes de mots qui conviennent.
Ce ne fut même pas un combat • C'étaient les Horaces et les Curiaces • Les rois chargent alors les trois frères de se battre pour leur patrie • pour que le Romain commande à l'Albain • Il y avait par hasard dans les deux armées trois frères jumeaux • on fixe ensemble le moment et le lieu

3 En quoi le combat rapporté par Tite-Live est-il original ? Quelles sont ses étapes ?

4 Décrivez la fresque. Quel moment précis du récit illustre-t-elle ? Relevez la phrase en latin.

5 Qui sont les deux personnages principaux, debout au centre ?

6 Que voit-on sur le sol au premier plan ?

7 Décrivez les personnages à l'arrière-plan. Que font-ils ? Qui sont-ils ?

Langue

Les adjectifs qualificatifs en *-us*, *-a*, *-um*, l'ablatif

OBSERVER et REPÉRER

Numa, un roi pacifique

1. Numa populum ferum ducit sed justus et bonus Sabinus est.
Numa conduit un peuple farouche mais c'est un Sabin juste et bon.

2. Saepe **in silva umbrosa** nympham Egeriam audit.
Souvent, **dans une forêt ombragée**, il écoute la nymphe Égérie.

3. Itaque, **magna prudentia**, bona instituta et multa sacra instaurat.
C'est pourquoi, **avec une grande sagesse**, il instaure de bonnes institutions et de nombreuses cérémonies religieuses.

4. **Verbis sanis** bellicosos Romanos placat : « **Sine bello** vitam tranquillam agere potestis. Boni et justi et pii tantum esse debetis. »
Il apaise les Romains belliqueux **par des paroles sensées** : « **Sans la guerre**, vous pouvez mener une vie paisible. Vous devez seulement être bons, justes et pieux. »

Nicolas Poussin, *Numa et la nymphe Égérie*, huile sur toile, env. 1631, musée Condé, Chantilly.

À l'oral

Choisissez la légende qui convient pour l'image en vous aidant du texte.
a. Numa Dianae deae salutem dat.
b. Numa cum nympha in silva ambulat.
c. Numa nympham Egeriam audit.

Identifiez l'adjectif qualificatif en *-us*, *-a*, *-um*

1 Repérez les groupes de mots comportant des adjectifs qualificatifs dans les phrases en français.

2 a. Retrouvez les groupes correspondants en latin et identifiez chaque adjectif.
b. Comparez les terminaisons des noms et des adjectifs en latin.

3 À la phrase **4**, identifiez la fonction des mots soulignés et le cas des mots correspondants en latin. Que remarquez-vous ?

Identifiez les cas et les fonctions

4 a. Identifiez la fonction de chaque groupe de mots en gras et le cas correspondant en latin.
b. Quelle différence de sens relevez-vous entre « avec une grande sagesse » (phrase **3**) et « par des paroles sensées » (phrase **4**) ? Que remarquez-vous en latin ?

Faites le bilan

5 En vous aidant des observations précédentes, donnez le genre, le nombre et le cas de ces groupes de mots.
populum ferum • bonus Sabinus (phrase 1) ; magna prudentia • multa sacra (phrase 3) ; vitam tranquillam • verbis sanis • sine bello • bellicosos Romanos (phrase 4)

Retenez

- saepe : souvent
- sine + Abl. : sans
- tantum : seulement

APPRENDRE

1 La carte d'identité de l'adjectif qualificatif en *-us, -a, -um*

Dans le dictionnaire, l'adjectif qualificatif en **-us, -a, -um** est toujours présenté ainsi :

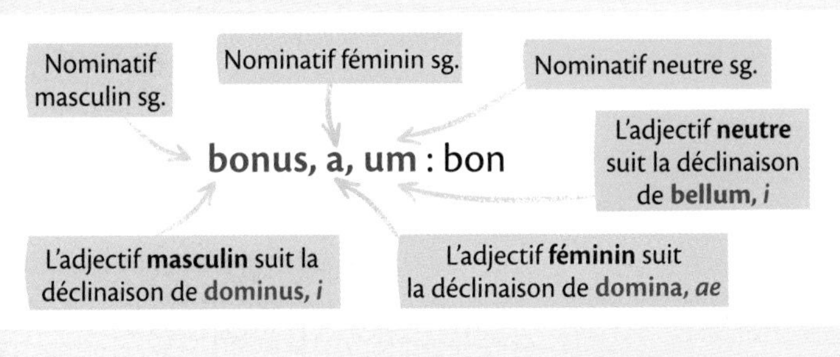

Nominatif féminin sg.
Nominatif neutre sg.

L'adjectif neutre suit la déclinaison de bellum, i
L'adjectif masculin suit la déclinaison de dominus, i
L'adjectif féminin suit la déclinaison de domina, ae

L'adjectif qualificatif **s'accorde en genre, en nombre et en cas** avec le nom auquel il se rapporte.

Certains adjectifs ont un nominatif en -r au masculin sg. et se déclinent comme puer, *eri,* m. (*enfant*). Voir Mémento p. 125.

Le féminin indique le radical.

→ pulcher, **pulchr**a, pulchrum : *beau* (radical pulchr-)

2 L'ablatif

L'ablatif est le cas de la plupart des **compléments circonstanciels.**

On le trouve **avec** ou **sans préposition.**

<u>In</u> **silva** ambulo. Je me promène **<u>dans</u> la forêt.** <u>Cum</u> **amica** ambulat. Il se promène **<u>avec</u> une amie.** <u>Sine</u> **bello** bene vivimus. <u>Sans</u> **guerre**, nous vivons bien.	Populum **verbis sanis** placat. Il apaise le peuple **par des propos sensés.** (CC de moyen) **Magna prudentia** sacra instaurat. **Avec une grande sagesse**, il instaure des cérémonies religieuses. (CC de manière)

S'EXERCER

Décliner les adjectifs en *-us, -a, -um*

1 a. Identifiez le genre et le nombre de ces groupes nom + adjectif donnés au nominatif.
magna victoria • bonus agricola • magnum periculum

b. Déclinez chaque groupe à l'accusatif sg. puis au génitif pl.

2 En vous aidant du lexique si nécessaire, retrouvez le genre, le nombre et le cas de ces groupes nom + adjectif. Plusieurs réponses sont parfois possibles.
bonae amicae • multas filias • nova pericula • longi anni • parvum servum

3 et **4** → Fiche d'exercices

Reconnaitre les cas et les fonctions

5 a. Identifiez les fonctions des groupes de mots soulignés.
1. Le <u>bon maitre</u> dirige ses <u>nombreux esclaves</u> <u>avec une grande sagesse</u>. **2.** Il se promène <u>avec ses nombreux amis</u> <u>dans la forêt</u>. **3.** Il prévoit de <u>grands dangers</u>.

b. Pour chaque groupe de mots, identifiez le groupe correspondant en latin.
a. multos servos **b.** cum multis amicis **c.** magna pericula **d.** in silva **e.** magna prudentia **f.** bonus dominus

6 Dans cette liste de noms, indiquez ceux qui peuvent être à l'ablatif singulier ou pluriel.
Romano • pugna • pueros • copiis • servo • dominorum • flammis • equi • amici • proeliis

7 → Fiche d'exercices

Apprendre du vocabulaire

8 a. En vous aidant du lexique, retrouvez puis apprenez les cartes d'identité de ces adjectifs.
longus • novus • magnus • parvus • malus • bonus • bellicosus • ferus

b. Mêmes consignes pour ces noms.
prudentia • animus • annus • servus • consilium

S'initier à la traduction

9 a. À l'aide du lexique, accordez l'adjectif en gras avec le nom qui le précède puis avec le nom qui suit. Vous obtiendrez deux phrases de sens différents.
1. Amicos (**bonus**) dominus habet.
2. Filia (**malus**) consilium dominae dat.
3. Animo (**magnus**) periculum vincit.

b. Traduisez les phrases obtenues.

10 → Fiche d'exercices

EXERCICES
lienmini.fr/latin5-071 ET latin5-072

Saisissez cette adresse dans votre navigateur pour retrouver des exercices et travailler chaque objectif.

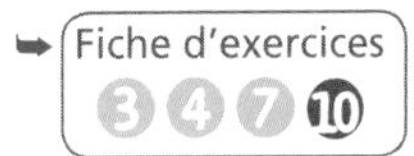

+

Culture Les premiers rois de Rome

Les successeurs de Romulus incarnent une forme d'alternance qui correspond plus à l'idée que les Romains ont voulu donner de leur histoire qu'à l'Histoire elle-même : rois « purement » romains ou rois sabins, rois guerriers ou pacifiques, conquérants ou législateurs et bâtisseurs.

Guerre et paix

1. Giuseppe Cesari, *La victoire de Tullus Hostilius sur les forces des Véiens et des Fidénates*, huile sur panneau (70 x 99 cm), musée des Beaux-Arts de Caen.

Selon la tradition, les rois de Rome sont choisis par « le peuple ». En réalité, ils le sont par les chefs des grandes familles nobles, qui se flattent de descendre des compagnons de Romulus et qui constituent le « Sénat » (« l'assemblée des Anciens »).

• D'origine sabine, **Numa Pompilius** ouvre une ère de paix : « Il voulut que la ville nouvelle, fondée par la violence et par les armes, soit fondée à nouveau, sur la base cette fois du droit, des lois et d'une conduite irréprochable. » (**Tite-Live**, *Histoire romaine*, I, 19, 1)

• Petit-fils d'un héros de la guerre contre les Sabins (p. 58), le Romain **Tullus Hostilius** porte bien son surnom : il s'illustre par son comportement agressif et ses exploits militaires. Vainqueur de la très ancienne cité d'Albe, fondée par le fils d'Énée, il fait raser la ville et déporter ses habitants à Rome.

• Petit-fils de Numa, le Sabin **Ancus Marcius** reprend la politique de son grand-père, agrandit la ville et la fortifie, construit le premier pont sur le Tibre, mais doit aussi faire la guerre. « À l'exemple des rois précédents, qui avaient peuplé la cité en donnant le statut de citoyen aux ennemis vaincus, il fit transférer à Rome tous les Latins des environs. » (**Tite-Live**, I, 33, 1)

1 Le surnom de Tullus vient du nom hostis, *is*, m. (*ennemi*). Citez l'adjectif français qui en est issu.

2 À quoi reconnait-on le roi sur le tableau (doc. 1) ? Décrivez-le.

3 Comment le peintre a-t-il représenté la violence des combats ?

4 Comment les rois augmentaient-ils la population de leur cité ?

5 Les rois de France étaient-ils choisis comme les rois de Rome ?

Le serment des héros

Dans ce tableau monumental, le peintre fait référence à un épisode célèbre de l'histoire de Rome, mais il invente une scène qui n'est racontée par aucun historien de l'Antiquité. Elle reste pourtant l'un des exemples les plus connus de l'héroïsme romain : un modèle exaltant le don de soi, l'esprit de sacrifice pour une grande cause, l'engagement pour la patrie.

2. Jacques-Louis David, *Le serment des Horaces* (3,3 x 4,25 m), 1785, musée du Louvre, Paris.

« Et maintenant, messieurs, dit d'Artagnan sans se donner la peine d'expliquer sa conduite à Porthos, tous pour un, un pour tous, c'est notre devise, n'est-ce pas ?
– Cependant, dit Porthos.
– Étends la main et jure ! s'écrièrent à la fois Athos et Aramis.
Vaincu par l'exemple, maugréant tout bas, Porthos étendit la main, et les quatre amis répétèrent d'une seule voix la formule dictée par d'Artagnan : « Tous pour un, un pour tous. »

Alexandre Dumas, *Les Trois Mousquetaires* (1844), chapitre IX, « D'Artagnan se dessine ».

6 À quel épisode historique le tableau fait-il référence (doc. 2) ?

7 Retrouvez les mots de Tite-Live « pro sua quisque patria » (p. 70) : que signifient-ils ? Qui les prononce ? pour qui ?

8 Quelle scène ont-ils inspirée au peintre (doc. 2) ? Qui sont les personnages ?

9 Nommez les héros de Dumas : cherchez ce qu'est un mousquetaire. Combien sont-ils ? Qu'ont-ils en commun avec les héros romains ?

Pour aller plus loin

Le serment des conscrits

> Voici la Une du *Petit Journal* datée du 23 avril 1911.

Cherchez ce qu'est un *conscrit* dans le vocabulaire militaire. Dans quelle guerre ces hommes vont-ils devoir partir trois ans plus tard ? Qu'ont-ils en commun avec les héros romains ?

Le Petit Journal
SUPPLÉMENT ILLUSTRÉ
DIMANCHE 23 AVRIL 1911
LE SERMENT DES CONSCRITS

Chapitre 8

Des rois et des travaux

Entre mythe et réalité, la tradition historique attribue aux trois derniers rois de Rome l'essentiel de son urbanisation.

Lecture

Le message de l'aigle

Sous le règne d'Ancus Marcius, un certain Lucumon, fils d'un émigré corinthien installé dans la cité étrusque de Tarquinia, rêve de faire carrière. Son épouse Tanaquil, fille d'un noble étrusque, le pousse à partir.

Spernentibus Etruscis Lucumonem exule advena ortum, ferre indignitatem non potuit Tanaquil [...], consilium migrandi ab Tarquiniis (5) cepit. Roma est ad id potissimum visa : in novo populo, ubi omnis repentina atque ex virtute nobilitas sit, futurum locum forti ac strenuo **viro**. [...]
(10) Sublatis itaque rebus commigrant Romam. Ad Janiculum forte ventum erat. Ibi Lucumoni carpento sedenti cum uxore aquila suspensis demissa leniter alis pilleum (15) aufert superque carpentum cum magno clamore volitans rursus velut ministerio divinitus missa capiti apte reponit ; inde sublimis abit. Accepisse id augurium laeta (20) dicitur Tanaquil.

Comme ________ méprisaient ________, né d'un étranger exilé, ________ ne put supporter l'affront [...], elle prit la décision de quitter ________. ________ parut la plus indiquée pour ses (5) projets : chez un peuple récemment organisé, où toute noblesse était instantanément obtenue par le mérite personnel, il y aurait une place pour un homme courageux et énergique. [...] C'est pourquoi, ils ________ à ________.
(10) On se trouvait par hasard du côté du mont Janicule. Là, tandis que ________ était assis dans sa carriole avec son épouse, un aigle descendant doucement en vol plané lui ________ son bonnet et battant des ailes à grand cri au-(15)dessus de la carriole il le ________ exactement sur sa tête comme s'il était chargé de cette fonction par une volonté divine ; ensuite il ________ en montant haut dans les airs. On raconte que ________ prit avec joie l'évènement comme un (20) heureux présage.

Installé à Rome, Lucumon prendra le nom de Lucius Tarquinius Priscus. Grâce à sa richesse et à son habileté, il se fera élire comme successeur d'Ancus Marcius.

Tite-Live (59 avant J.-C.-17 après J.-C.), *Histoire romaine*, livre I, 34, 1-9.

vir, *i*, m. : l'homme

Alors que le nom homo, *inis*, m. signifie l'homme en tant qu'espèce, vir désigne l'homme opposé à la femme. Il peut avoir le sens de mari, de héros, de soldat. On le retrouve dans le nom virtus, *utis*, f., qui désigne les qualités physiques et morales de l'homme.

AUDIO
Écoutez les textes du chapitre à cette adresse :
lienmini.fr/latin5-080

Jacopo del Sellaio, *Tarquin et Tanaquil entrant à Rome*, peinture sur bois (détail), env. 1470, The Cleveland Museum of Art (États-Unis).

Étymologie

a. Cherchez le sens des mots *viril, homicide, vertu, virtuel*.
À quels mots latins les rattachez-vous ?
b. Choisissez le sens du nom *virago* :
❍ une femme robuste comme un homme ❍ un grand virage sur la route

Comprendre le texte et l'image

1 Lisez à haute voix le texte en latin.

2 Traduisez les noms propres puis les verbes soulignés en utilisant le vocabulaire suivant.
abeo, is, ere : s'en aller • aufero, fers, ferre : enlever • commigro, as, are : émigrer ensemble • repono, is, ere : reposer

3 Quelles sont les raisons qui poussent Lucumon et Tanaquil à émigrer ?

4 Qui prend la décision ? Où vont-ils ? Pourquoi ?

5 Quel oiseau vole au-dessus de Lucumon ? De quel dieu est-il l'attribut ?

6 Pourquoi Tanaquil interprète-t-elle ce vol comme un heureux présage ?

7 Quel nom Lucumon a-t-il pris une fois installé à Rome ? Pourquoi ? Comment l'appelons-nous ?

8 Quel moment précis de l'épisode le peintre a-t-il représenté ? Décrivez les personnages (vêtements, attitudes).

Langue L'imparfait de l'indicatif

Duo regna do, Tarquinio ac deinceps Servio.

Domenico Beccafumi, *Tanaquil*, huile sur toile, 1519, National Gallery, Londres.

OBSERVER et REPÉRER

Le choix de Tanaquil

LECTURE ALTERNÉE

1. Erat in regia puer quem Tarquinius et Tanaquil Servium <u>vocabant.</u>
Il y **avait** au palais un enfant que Tarquin et Tanaquil <u>appelaient</u> Servius.

2. Quondam prodigium accidit : donec puer <u>dormiebat</u>, flamma circa caput <u>ardebat</u>.
Un jour il y eut un prodige : tandis que l'enfant <u>dormait</u>, une flamme <u>brulait</u> autour de sa tête.

3. Servius, matre nobili natus, non servus **erat** : flamma regnum portendere **poterat**.
Servius, fils d'une mère noble, n'**était** pas un esclave : la flamme **pouvait** présager la royauté.

4. Tanaquil regnum Servio dare <u>cupiebat</u> : itaque cum Tarquinii liberis Servius <u>vivebat</u>.
Tanaquil <u>désirait</u> donner la royauté à Servius : c'est pourquoi Servius <u>vivait</u> avec les enfants de Tarquin.

À l'oral

Que dit Tanaquil ? Choisissez la bonne traduction.

a. Je suis reine deux fois, avec Tarquin et avec Servius.
b. J'ai deux royaumes, celui de Tarquin et celui de Servius.
c. Je donne deux royaumes, à Tarquin et ensuite à Servius.

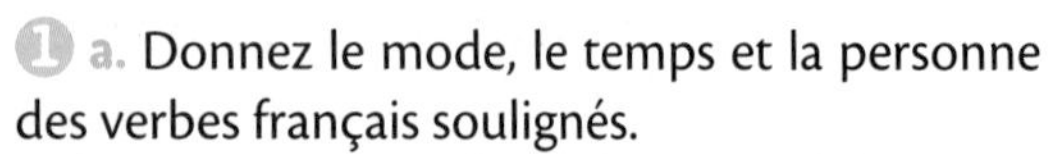

Identifiez les formes de l'imparfait de l'indicatif

1 a. Donnez le mode, le temps et la personne des verbes français soulignés.
b. Retrouvez les cartes d'identité des verbes latins correspondants et identifiez leurs conjugaisons.

2 Comparez les terminaisons des verbes vocant (*ils appellent*), voca**ba**nt (*ils appelaient*) ; ardet (*il brule*), arde**ba**t (*il brulait*). Qu'est-ce qui les différencie ?

3 **Phrases 2 et 4**
a. Mêmes consignes pour les verbes dormit/dormi**eba**t, cupit/cupi**eba**t et vivit/vive**ba**t.
b. Les terminaisons de ces verbes à l'imparfait sont-elles identiques à celles des verbes de la question **2** ?

4 a. Identifiez les verbes en gras et donnez les formes correspondantes au présent de l'indicatif.
b. Quelle remarque pouvez-vous faire sur la forme **potera**t ?

Faites le bilan

5 En vous aidant de vos observations précédentes, recopiez et complétez le tableau. Indiquez en rouge la terminaison personnelle.

	Indicatif	amo	video	lego	capio	audio	sum	possum
3e pers. du sg.	Présent							
	Imparfait							

Retenez

› ac : et
› deinceps : ensuite
› quondam : un jour

APPRENDRE ··· L'imparfait de l'indicatif

Pour toutes les conjugaisons, **l'imparfait** se forme en ajoutant le suffixe **-ba-** et les terminaisons personnelles au radical du présent.

amo, as, are	video, es, ere	lego, is, ere	capio, is, ere	audio, is, ire
ama**ba**m *j'aimais*	vide**ba**m *je voyais*	leg**eba**m *je lisais*	capi**eba**m *je prenais*	audi**eba**m *j'entendais*
ama**ba**s	vide**ba**s	leg**eba**s	capi**eba**s	audi**eba**s
ama**ba**t	vide**ba**t	leg**eba**t	capi**eba**t	audi**eba**t
ama**ba**mus	vide**ba**mus	leg**eba**mus	capi**eba**mus	audi**eba**mus
ama**ba**tis	vide**ba**tis	leg**eba**tis	capi**eba**tis	audi**eba**tis
ama**ba**nt	vide**ba**nt	leg**eba**nt	capi**eba**nt	audi**eba**nt

Dans les conjugaisons du type **lego**, **capio** et **audio**, le suffixe **-ba-** est précédé de la voyelle **e**.

L'imparfait du verbe **sum** se forme en ajoutant le suffixe **-a** et les terminaisons personnelles au radical **er-**.

sum	possum
er**a**m *j'étais*	pot**era**m *je pouvais*
er**a**s	pot**era**s
er**a**t	pot**era**t
er**a**mus	pot**era**mus
er**a**tis	pot**era**tis
er**a**nt	pot**era**nt

Les **verbes formés** sur **sum** suivent sa conjugaison.

Le **verbe possum** commence par **pot-**.

aberam : *j'étais absent* • aderam : *j'étais présent*
deeram : *je manquais à* • praeeram : *je commandais à*

S'EXERCER

Décliner

1 **a.** Identifiez la déclinaison et le genre de ces noms donnés au nominatif singulier.
(avidus, a, um) **dominus** • (parvus, a, um) **nauta** • (sanus, a, um) **verbum** • (novus, a, um) **vita**
b. Mettez les groupes nom + adjectif au génitif pluriel puis à l'ablatif singulier.

2 ➥ Fiche d'exercices

Conjuguer

3 Identifiez la personne de chaque forme verbale à l'imparfait et traduisez.
accipiebamus • faciebatis • ducebant
vocabas • habebat • monebam

4 Identifiez chaque forme verbale, transposez-la à l'imparfait et traduisez.
dant • venimus • credis • docet • potes • debetis

5 Repérez le verbe conjugué de chaque phrase, mettez-le à l'imparfait et traduisez.
1. Servius Romanis praeest.
2. Amicos audit et bona consilia capit.
3. Cum vicinis bene vivit.
4. Sed cum bellicosis populis pugnare potest.

6 et **7** ➥ Fiche d'exercices

Apprendre du vocabulaire

8 **a.** En vous aidant du lexique, retrouvez puis apprenez les cartes d'identité de ces adjectifs.
acerbus • placidus • gratus • pulcher • miser
b. Mêmes consignes pour ces verbes.
ardeo • dormio • instituo • placo

S'initier à la traduction

9 **a.** En vous aidant du lexique, traduisez cette phrase.
Romani praedam faciebant.
b. Puis traduisez ces phrases en boule de neige sans utiliser le lexique.
1. Post victoriam Romani praedam faciebant.
2. Post magnam victoriam Romani praedam faciebant.
3. Post magnam copiarum (*des troupes*) victoriam Romani praedam faciebant et Servio gratiam habebant.
4. Post magnam copiarum victoriam Romani praedam faciebant et Servio magnam gratiam habebant quia (*parce que*) justus erat.

10 ➥ Fiche d'exercices

EXERCICES **lienmini.fr/latin5-081 ET latin5-082**
Saisissez cette adresse dans votre navigateur pour retrouver des exercices et travailler chaque objectif.

➥ 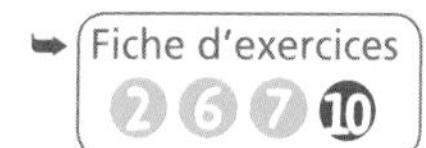
Fiche d'exercices 2 6 7 10

Exercices interactifs

Culture

Rome, ville étrusque

Pendant un peu plus d'un siècle, Rome a été gouvernée par des rois d'origine étrusque. Ils ont beaucoup contribué au développement de la cité en lui apportant leur culture.

Rome à l'époque des rois étrusques

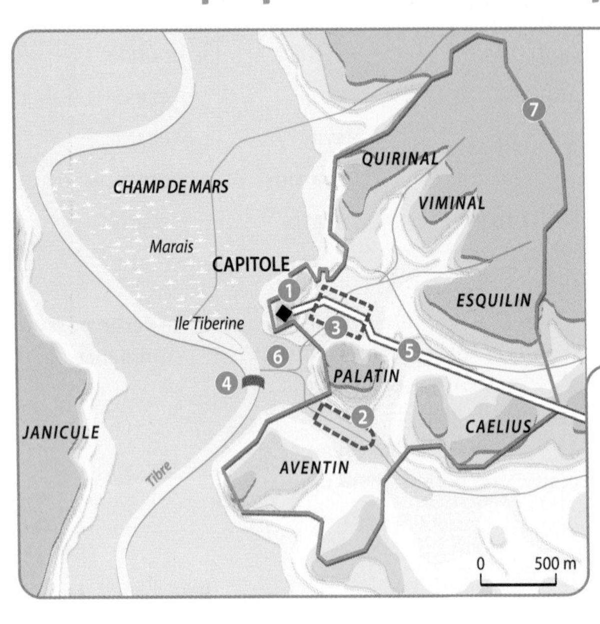

1. Templum Jovis Capitolini : le temple de Jupiter sur le Capitole (édifié par les Tarquins)
2. Circus Maximus : le Très grand cirque où se déroulent les courses de chevaux (édifié par les Tarquins)
3. Forum : la place publique (aménagée à partir de Tarquin l'Ancien)
4. Pons Sublicius : le pont Sublicius (édifié par Ancus Marcius)
5. Via Sacra : la Voie sacrée qui traverse le Forum
6. Cloaca Maxima : le Très grand égout (édifié par les Tarquins)
7. Murus Servii Tullii : la muraille de Servius Tullius

1 Retrouvez les dates de règne des rois à qui sont attribués les grands aménagements de Rome (voir la chronologie en début d'ouvrage).

Une civilisation brillante

Appelés Tusci ou Etrusci par les Romains, les Étrusques, qui vivaient au nord du Latium, ont développé une civilisation brillante, proche de la civilisation grecque, dès le VIIIe siècle avant J.-C. Leur langue reste encore en partie mystérieuse, comme leur origine (des migrants venus d'Asie, mêlés à des populations indigènes ?). Experts en arts, métiers et techniques variés, ils ont bâti douze grandes cités, chacune gouvernée par un roi exerçant aussi l'autorité d'un grand prêtre. Les Romains, qui ont vaincu progressivement les villes étrusques, ont assimilé une très large partie de leurs savoirs et de leurs coutumes, avant leur disparition au Ier siècle avant J.-C.

1. Vue sur le Capitole à l'époque de Tarquin le Superbe, illustration de Fabrice Moireau.

2 De quelle célèbre cité étrusque venait le roi Tarquin l'Ancien ?

3 Décrivez les bâtiments sur l'image (doc. 1). Quel édifice est représenté à l'arrière-plan ? Comparez avec le document 2.

4 Décrivez les activités des personnages.

Les grands travaux

Après avoir conclu la paix avec ses voisins, le roi Tarquin le Superbe s'occupe des constructions de Rome.
Le temple consacré au roi des dieux, Optimus Maximus (le meilleur, le plus grand), fut construit en tuf volcanique, recouvert de bois et de plaques de terre cuite peinte. Un sculpteur étrusque réputé, nommé Vulca, réalisa la statue de Jupiter en argile qui trônait dans sa cella (chambre), vêtu d'étoffes précieuses, le visage peint en rouge. Il fit aussi le groupe représentant le dieu sur son quadrige au sommet de l'édifice. Le temple fut plusieurs fois détruit par des incendies et reconstruit. Aujourd'hui, il ne reste plus que des vestiges de ses fondations.

Le monument le plus important était le temple de Jupiter, ouvrage des deux Tarquins : le père en avait fait le vœu, le fils l'acheva. [...] Il fit venir des artisans de toute l'Étrurie et mit à contribution non seulement l'argent public, mais aussi les bras du peuple. Profitant des mêmes ressources, il termina l'égout qui collectait les immondices de la ville en le faisant passer sous terre : un ouvrage grandiose, presque inégalé de nos jours.

Tite-Live, *Histoire romaine*, livre I, 55-56.

À l'origine, le site de Rome était une zone de marécages (voir p. 57), ce qui provoquait de graves infections dues aux moustiques. La Cloaca Maxima permit d'assainir l'espace urbain en drainant les eaux : ce grand canal à ciel ouvert, long d'environ 800 m, construit en blocs de pierre sans ciment selon des techniques étrusques, fut transformé progressivement en égout souterrain. Une partie de la canalisation antique est encore utilisée aujourd'hui.

2. Reconstitution du temple de Jupiter Capitolin à Rome, illustration de Jean-Benoît Héron.

5 **Nommez en latin les deux grands travaux de Rome. Qui les a décidés ? Qui les a terminés ?**

6 **Quelle triade était honorée dans le temple ? (voir p. 27)**

7 **Décrivez le temple reconstitué (doc. 2). Que voyez-vous au sommet du toit ?**

8 **Que signifie le nom *cloaque* : d'où vient-il ?**

APPRENTI ARCHÉOLOGUE

Lors de fouilles menées en 1998, divers objets de l'époque étrusque, dont cette antéfixe (H. : 17, 2 cm), ont été découverts dans le secteur où se trouvent les fondations du temple de Jupiter. Ils sont aujourd'hui conservés aux musées du Capitole.
Une **antéfixe** (du latin antefixum, « fixé devant ») est un motif sculpté en terre cuite, placé sur un toit ou sur une corniche. Il servait à décorer l'édifice et à masquer l'extrémité d'une rangée de tuiles.
Rédigez le carnet de l'archéologue après la découverte.
→ **Décrivez l'objet avec précision.**
→ **Proposez une légende : nom de l'objet, matériau, taille, provenance, datation approximative, lieu de conservation.**

Atelier de traduction

Le crime de Tullia

1. Servius Tullius filiam unam acerbam, placidam alteram **habebat.**	1. ... ..., ...

Devenu roi, Servius Tullius marie ses deux filles aux fils de Tarquin.

2. Tullia acerba Tarquinio placido **nubit** ;	2. ... ... ;
Tullia vero placida Tarquinio acerbo.	quant à ... ...
3. Sed placidi pereunt et	3. Mais ... meurent et
acerbos morum similitudo **conjungit.**	la ressemblance des caractères ... .

La cruelle Tullia épouse alors le féroce Tarquin ; Servius Tullius est assassiné.

4. Tullia, carpento vecta, in forum **properat,**	4. ..., ..., ... vers le forum,
virum e curia **evocat,** et prima virum regem **appelat.**	... ..., et ... ... du nom de roi.
5. Dum domum redit, patris corpus curiae gradibus dejectum **videt.**	5. Tandis qu'elle rentre chez elle, elle ... le corps de son père, jeté au bas des marches ....
6. Tum super corpus patris carpentum **agit.**	6. Alors, elle ... ... en plein sur le corps de son père.

D'après **Tite-Live**, *Histoire romaine*, livre I, 46-48.

Entrez dans le texte

1. Quel évènement le titre annonce-t-il ?

Découvrez le personnage principal...

2. Lisez les phrases **1** à **3**. En vous aidant du lexique et des couleurs :
a. Traduisez les verbes (en gras).
b. Identifiez les cas des groupes de mots en bleu, en vert et en violet (attention à la construction du verbe nubo, is, ere).
c. Traduisez.

... et le récit de l'évènement

3. Lisez la phrase **4**. En vous aidant du lexique et des couleurs :
a. Identifiez les verbes (en gras) et leur sujet.
b. Quel est le cas des mots vecta ? prima ? Et la fonction de chacun ?
c. Identifiez les cas des noms en vert, en rose et en orange.

4. Complétez la traduction des phrases **4**, **5** et **6**.

Comparez l'image et le texte

5. Quel instant du récit est représenté par le peintre ?

6. Décrivez le geste du cocher : quel est l'effet produit ?

Un nouvel **atelier de traduction** en version numérique.

Jean Bardin, *Tullia fait passer son char sur le corps de son père*, huile sur toile (114 x 145,5 cm), 1765, musée du Land, Mayence (Allemagne).

Classez des synonymes

1 L'élément ARD- qui signifie *bruler* (du latin ardeo, es, ere) entre dans la composition de l'adjectif *ardent*.

Classez ces synonymes dans la corole en tenant compte des divers sens de l'adjectif *ardent*.

incandescent • brulant • enflammé • exalté • fervent • fougueux • véhément • passionné

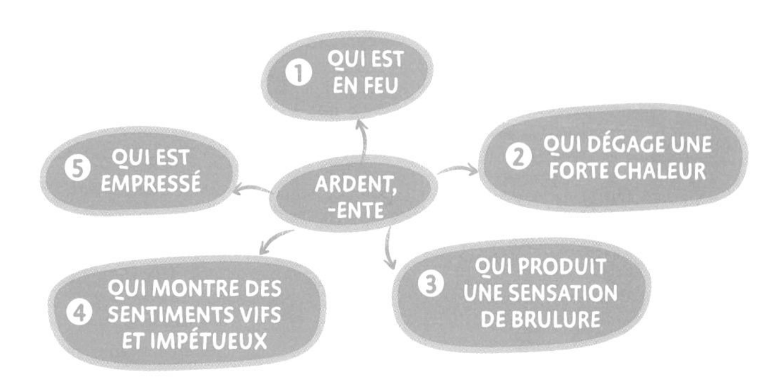

Reconnaissez le sens des mots

2 En vous aidant de l'exercice 1, donnez le sens de ces expressions.

avoir une nature ardente
être ardent à la tâche
avoir une ardente conviction
dresser une chapelle ardente
être sur des charbons ardents
éprouver un ardent désir

3 L'adjectif *sain* est issu de l'adjectif latin sanus, a, um (*bien portant, sensé, sage*).
Associez à chaque expression le synonyme qui convient.

être sain et sauf •	• équilibrée
avoir un jugement sain •	• bien gérée, honnête
faire de saines lectures •	• instructives
vivre dans un climat sain •	• salubre
manger une nourriture saine •	• indemne
avoir une affaire saine •	• sensé

L'arbre à mots

4 Les mots suivants, sauf deux, sont les fruits de l'arbre à mots. Recopiez-les, notez pour chacun d'eux le numéro de leur branche (1, 2 ou 3) et barrez les deux intrus.

régent • correct • régiment • regard • rectangle • corriger • directeur • régime • rectifier • ériger • réagir • règle

5 Complétez ces phrases avec des mots à sélectionner dans la liste de l'exercice 4.

1. On appelle ... celui qui dirige une entreprise.
2. Le professeur a demandé de ... l'exercice au tableau.
3. Le ... est rassemblé dans la cour de la caserne.
3. La flèche a manqué la cible : l'archer doit ... le tir.
4. La municipalité va bientôt faire ... une statue sur cette place.
5. Un ... est un quadrilatère qui a quatre angles droits.

6 « Je suis un nom féminin, je désigne un territoire dont l'étendue est déterminée par des règles géographiques ou administratives ; le nom *province* est un de mes synonymes.

Qui suis-je ? » _ _ _ _ _ _ (*6 lettres*)

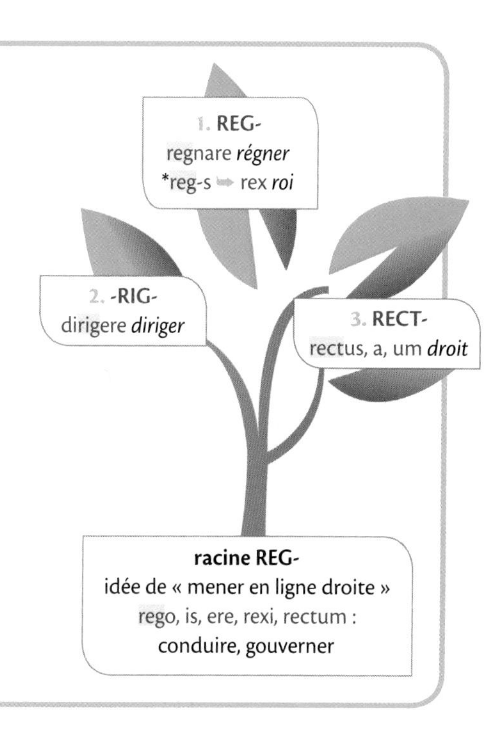

Describamus ! Décrivons !

✦ **Pour décrire la taille (statura)**, vous pouvez utiliser ces adjectifs.

- magnus, a, um : grand
- medius, a, um : moyen
- parvus, a, um : petit
- crassus, a, um : trapu, corpulent
- macer, cra, crum : maigre, mince

✦ En voici d'autres pour **les cheveux (capilli) et les yeux (oculi)**.

- canus, a, um : blanc
- niger, gra, grum : noir
- pullus, a, um : brun, châtain
- flavus, a, um : blond
- rufus, a, um : roux
- caeruleus, a, um : bleu
- glaucus, a, um : vert

Etiam aut non ? Oui ou non ?

✦ **Pour poser une question avec insistance**, vous pouvez utiliser la formule An vero... ? *Est-ce que vraiment... ?*

✦ **Pour répondre**, comme l'écrit Cicéron, « aut "etiam" aut "non" respondere possumus » (« Nous pouvons répondre "oui" ou "non" », *Académiques*, II, 104). Mais le plus souvent, comme en anglais, on répète le verbe dans la réponse :

Laetus es ? – Sum. // Non sum.
Are you happy? – (Yes) I am. // (No) I am not.
Tu es content ? – Oui. // Non.

✦ On utilise aussi des **adverbes qui renforcent la réponse**.

- Ita est : oui, c'est ainsi
- Ita plane : oui, c'est cela exactement
- Certe id est : c'est bien ça
- Recte sane : fort bien
- Optime : parfait
- Minime : non, pas du tout
- Minime vero : non, certainement pas

✦ **Pour un refus poli**, vous pouvez dire benigne : généreusement *(tu es bien aimable, merci)*.

✦ Si vous voulez **exprimer un regret** :
Ignosce/ignoscite mihi : *pardonne-moi/pardonnez-moi (pardon)*.

Agite ! C'est à vous !

1 Composez des phrases pour vous décrire, comme Marcus et Julia.

2 Imaginez d'autres descriptions : un ou une ami(e) (amicus/amica), etc.

3 Choisissez un adjectif dans cette page ou dans la suivante pour vous inventer un surnom :
Gentis meae cognomen + N. est.
Le surnom de ma famille est...

4 Formez des groupes et interrogez-vous comme Marcus et Julia. Variez les réponses sur le modèle « oui » ou « non ».

Nota bene

Les citoyens romains portent un cognomen (*surnom*, p. 92) qui leur vient de l'ancêtre de leur gens (*famille*) et qui est très souvent lié à une particularité physique ou à un trait de caractère. Par exemple, le surnom Crassus, tiré de l'adjectif crassus a été donné à un homme qui avait de l'embonpoint. Après lui, tous ses descendants ont porté ce surnom, ce qui ne signifie pas qu'ils étaient tous gros !

Les surnoms romains

1 **a.** Associez chaque surnom romain au mot français issu de la même famille étymologique.
b. Retrouvez pour chaque surnom le sens correspondant.

TRANQUILLUS
DENTATUS
RUSTICUS
STRABO
CAECUS
TACITUS
FELIX
NASO
CALVUS
BALBUS

rustique
balbutier
strabisme
félicité
tranquillité
calvitie
taciturne
dentition
cécité
naseau

* qui ne parle pas
* qui a de la chance
* qui est aveugle
* qui bégaie
* qui est né avec des dents
* qui est de la campagne
* qui louche
* qui garde son calme
* qui est chauve
* qui a un gros nez

2 De nombreux graffitis et caricatures ont été découverts sur les murs de la cité de Pompéi, ensevelie par l'éruption du Vésuve en 79 après J.-C. Devinez le surnom inscrit avec le profil dessiné et traduisez la phrase (CIL IV 9226).
Pour vous aider : comptez les lettres et cherchez un adjectif p. 84.

3 Donnez en latin et en français le surnom du dernier roi de Rome : expliquez son sens.

Découvrez pourquoi un célèbre empereur de Rome, connu sous le nom de Néron (37-68), portait le surnom Aenobarbus, « Barbe rousse ». Formez un groupe de 5 lecteurs : apprenez par cœur une partie du texte et sa traduction, puis récitez-la en classe, chacun à votre tour.

Aenobarbi auctorem originis itemque cognominis habent L.[ucium] Domitium. // Cui rure quondam revertenti gemini divina forma imperasse traduntur : // nuntiare debebat populo Romano magnam victoriam. // In fidem majestatis permulserunt malas et e nigro rutilum aerique similem capillum rediderunt. // Quod insigne mansit in posteris ejus ac magna pars rutila barba fuerunt.

La famille des Aenobarbi tient son origine et aussi son surnom de Lucius Domitius. // Un jour, alors que celui-ci rentrait de la campagne, des jumeaux à l'air divin vinrent lui donner un ordre, à ce qu'on raconte : // il devait annoncer une grande victoire au peuple romain. // Comme preuve de leur majesté, ils lui caressèrent les joues et ils firent passer ses poils de noir à un roux flamboyant comme le cuivre. // Ce signe demeura à ses descendants et presque tous eurent la barbe rousse.

Suétone (env. 70-130 après J.-C.), *Vie de Néron*, 1-2 (texte très légèrement modifié).

À votre avis, qui sont les jumeaux ? Un indice : ces deux jeunes hommes ont pour père le roi des dieux.

❍ Romulus et Rémus ❍ Apollon et Diane ❍ Castor et Pollux

Partie 5

Naitre et

Les Romains distinguent cinq périodes dans la vie humaine. Pour l'homme, ce découpage est lié à son rôle dans la cité (participer à la vie politique en tant que citoyen, défendre sa patrie) ; pour la femme, il est lié à son rôle dans la famille (se marier, avoir des enfants).

grandir à Rome

Lire la frise

L'enfant est élevé par sa mère. Le **jeune garçon** et la **jeune fille** vont à l'école élémentaire. La fille (virgo) peut être mariée dès douze ans.
Le **jeune homme** est majeur : il est mobilisable dans l'armée. La **jeune femme** est destinée à être épouse et mère (matrona).
L'homme et **la femme** sont dans la force de l'âge.
L'homme mûr se consacre surtout à la gestion de la cité. Au-delà de 60 ans, il est considéré comme un **vieillard**. La femme âgée est désignée par le nom anus.

→ **Retrouvez sur la frise les noms latins correspondant aux noms français en gras.**

Chapitre 9

Vie de famille

Dans une famille romaine, le père exerce une autorité absolue sur sa femme, ses enfants et ses esclaves.

Lecture

Un père modèle

Caton dit l'Ancien (234-149 avant J.-C.) était un homme politique romain réputé pour sa sévérité. Plutarque a rédigé sa biographie en grec. Par la suite, son texte a été traduit en latin.

Le début du texte est donné en grec, en latin et en français.

Γέγονε δὲ καὶ πατὴρ **ἀγαθός** [...].
Fuit praeterea **bonus** etiam pater [...].
En plus, il fut aussi un **bon** père [...].

Γενομένου δὲ **τοῦ παιδὸς** οὐδὲν ἦν ἔργον οὕτως **ἀναγκαῖον**, εἰ μή τι δημόσιον, ὡς
5 μὴ παρεῖναι **τῇ γυναικὶ λουούσῃ** καὶ σπαργανούσῃ τὸ βρέφος.
Nato sibi **filio**, nihil privatae rei magis **necessarium** duxit quam ut **uxori** eum **lavanti** et fasciis involventi adstaret.
Après la naissance de ______, il ne jugea aucune activité de sa vie privée plus ______ que de se tenir auprès de ______ quand elle ______ le bébé et
10 l'enveloppait dans les langes.

Αὐτὴ γὰρ τοῦτον ἔτρεφεν ἰδίῳ γάλακτι [...].
Ipsa *enim* suo eum lacte **enutriit** [...].
______ ... ______ ... ______ [...].

Voici la suite du texte en français.

Plus tard, Caton se chargea d'apprendre lui-même à son fils à lire et à écrire. Il lui
15 enseigna la grammaire, les lois et même les exercices physiques. Il lui apprenait non seulement à lancer le javelot, à manier les armes, à pratiquer l'équitation, mais aussi à boxer, à supporter le chaud et le froid, à traverser à la nage les tourbillons du fleuve. On dit encore qu'il avait écrit un livre d'histoire de sa propre main en gros caractères, pour que l'enfant trouvât dans sa propre maison le moyen de connaitre
20 les traditions anciennes.

Plutarque (env. 46-125 après J.-C.), *Vie de Caton l'Ancien*, traduite en latin par Wilhelm Xylander (1600), chapitre XX.

πατήρ, *πατρός* (ὁ) : • **pater**, *patris*, **m. : père**

Les noms grec et latin signifiant « père » ont été formés sur une même racine très ancienne, issue de l'indo-européen (p. 5) : **pat(e)r-**. Elle a produit de nombreux mots dans les langues modernes (p. 101).

AUDIO
Écoutez les textes du chapitre à cette adresse :
lienmini.fr/latin5-090

Sarcophage en marbre dédié au petit Marcus Cornelius Statius par ses parents, env. 150 après J.-C., musée du Louvre, Paris.

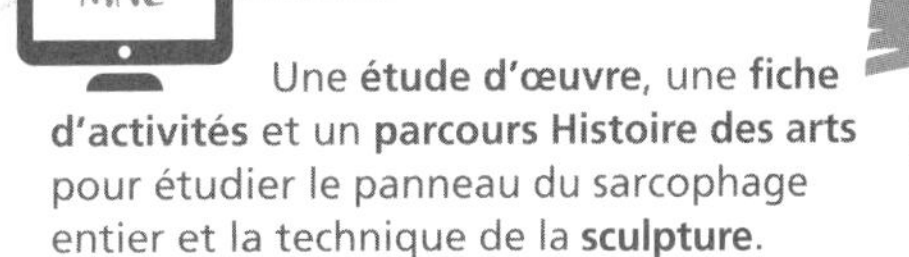

Une **étude d'œuvre**, une **fiche d'activités** et un **parcours Histoire des arts** pour étudier le panneau du sarcophage entier et la technique de la **sculpture**.

Étymologie

Retrouvez dans le texte grec ou latin (p. 88) les mots qui sont à l'origine des mots en gras.

- **Agathe** est un prénom à la mode.
- Le **pédiatre** est le médecin qui soigne les enfants, le **gynécologue** celui qui soigne les femmes.
- La **galaxie** dans laquelle se trouve le système solaire s'appelle la Voie **lactée**.

Comprendre le texte et l'image

1 Lisez à haute voix la première phrase en français, en grec et en latin.

2 Quel nom (souligné) et quel adjectif (en gras) caractérisent Caton l'Ancien ?

3 Observez les mots en gras dans la suite du texte (l. 4-7) en grec et en latin, puis complétez la traduction en français avec ces mots.
lavait • son épouse • son fils • indispensable

4 Lisez à haute voix la suite du texte (l. 11-12) en grec puis en latin. Traduisez en français.
a. **en vous aidant des couleurs pour comprendre la construction :** sujet • COD • **verbe** • complément circonstanciel de moyen • *conjonction de coordination.*
b. **en choisissant les mots :** de son propre lait • en effet • le (pronom = l'enfant) • nourrissait • elle-même.

5 Quels enseignements Caton donne-t-il à son fils ? Que veut-il développer chez lui ?

6 Observez le sarcophage. Combien de scènes différentes comptez-vous ?

7 Qui sont les personnages représentés ? Que font-ils ?

8 Quels détails de la vie familiale évoqués dans le texte retrouvez-vous ?

Langue Les pronoms personnels, *sum* + datif

OBSERVER et REPÉRER

La famille Fuficius

1. a. Ego Titus Fuficius sum, duos liberos habeo.
Moi, je suis Titus Fuficius, **j'**ai deux enfants.
b. Haec mater eorum est.
Voici leur mère.

2. Nos, pueri sumus.
Nous, nous sommes les enfants.

3. a. Nobis filius et filia sunt.
À nous sont un fils et une fille (= nous avons un fils et une fille).
b. Eos videtisne ?
Les voyez-vous ?

4. a. Ego, catulum habeo.
Moi, **j'**ai un petit chien.
b. Et **tu**, soror mea, quid habes ?
Et **toi**, ma sœur, qu'as-**tu** ?

5. a. Te audio. Quoniam **me** interrogas, **tibi** respondeo :
Je **t'**entends. Puisque tu **m'**interroges, je **te** réponds :
b. mihi columba est
à moi est une colombe (= j'ai une colombe).

Stèle funéraire de Titus Fuficius, officier de la légion XX, représenté avec sa famille, début du Ier siècle après J.-C., musée archéologique de Split (Croatie).

Identifiez les pronoms personnels

1 Phrases 1a, 2 et 4 Repérez les pronoms personnels sujets en français puis en latin. Que remarquez-vous ?

2 Phrase 5a Quelle est la personne et la fonction de chaque pronom en gras ? Donnez pour chacun le cas correspondant en latin.

3 Phrases 1b et 3b Identifiez la classe grammaticale et la fonction de chaque mot en orange. Retrouvez le mot correspondant en latin : que remarquez-vous ?

Identifiez une construction particulière du verbe *sum*

4 Phrases 3a et 5b
a. Identifiez la fonction des noms surlignés en vert. Quel devrait être le cas correspondant en latin ?
b. Quel est le cas des noms filius, filia et columba ? Et leur fonction ?
c. En vous aidant des phrases soulignées et du surlignage en violet, identifiez le cas des pronoms mihi et nobis.

Faites le bilan

5 En vous aidant des observations précédentes, recopiez le tableau et complétez-le avec les pronoms personnels de la 1re et de la 2e personne.

		N.	Acc.	D. (précisez les fonctions)
Sg.	1re p.			
	2e p.			
Pl.	1re p.		X	

Retenez

› ante + Acc. : avant
› cum + Abl. : avec
› quoniam : puisque

PPRENDRE

1 Les pronoms personnels *ego, tu, nos, vos* (1re et 2e personnes)

		N.	V	Acc.	G.	D.	Abl.
Sg.	1re p.	ego	-	me	mei	mihi	me
	2e p.	tu	tu	te	tui	tibi	te
Pl.	1re p.	nos	-	nos	nostri	nobis	nobis
	2e p.	vos	vos	vos	vestri	vobis	vobis

En latin, le vouvoiement de politesse n'existe pas. La forme *vous* désigne deux ou plusieurs personnes.

Le **pronom personnel** a le genre et le nombre du nom qu'il remplace. Il est décliné selon sa fonction dans la phrase.

Pour **la 3e personne**, le pronom est **is, ea, id** qui rappelle la personne ou la chose dont on a parlé (voir p. 126).

2 *Sum* + datif = appartenir à

Datif
Nominatif
Mihi **est** filius.
Un fils est **à moi** = **J'ai** un fils.
Datif
Nominatif
Tito Fuficio filia **est**.
Une fille est **à Titus Fuficius** =
Titus Fuficius a une fille.

S'EXERCER

Reconnaitre les pronoms personnels

1 a. Associez à chaque forme verbale le pronom sujet qui convient (plusieurs solutions sont parfois possibles : monebas • venimus • vocas • dicebam • datis • capio.

b. Traduisez.

2 En vous aidant de la traduction, complétez les phrases en latin avec les pronoms sujets ou compléments qui conviennent.

1. Toi, tu m'appelles.
... , ... vocas.

2. Vous, vous me regardez.
..., ... spectatis.

3. Nous, nous vous voyons.
..., ... videmus.

4. Moi, je vous donne une récompense.
..., ... praemium do.

3 et **4** ➥ Fiche d'exercices

Reconnaitre *sum* + datif

5 a. Repérez les noms au datif et traduisez.

1. Puero multi amici sunt.
2. Deis pulchra templa sunt.
3. Puellae catulus est.

b. Récrivez ces phrases sans modifier leur sens et en utilisant habeo, es, ere (avoir) + Acc.

6 ➥ Fiche d'exercices

Apprendre du vocabulaire

7 Retrouvez la carte d'identité complète de chaque nom à l'aide du lexique et apprenez-la.
amica • familia • femina • matrona
amicus • servus • libertus • liberi

8 Mêmes consignes que dans l'exercice **7** pour les adjectifs possessifs (toujours placés après le nom).
meus • tuus • suus • noster • vester

S'initier à la traduction

9 a. Identifiez le cas de chaque nom ou groupe nom + adjectif et indiquez sa fonction.

1. Tito Fuficio multi servi erant. **2.** Titus dominus bonus et justus erat : eos (*les*) non castigabat. **3.** Itaque servi ei (*lui*) parebant. **4.** Pueros servi docti educabant et litteras docebant. **5.** Filii catulos habebant et filiae columbas pulchras. **6.** Domina cum ancillis saepe laborabat. **7.** Magnas laudes (*louanges*) bonae dominae tribuebant ancillae.

b. Traduisez à l'aide du lexique.

10 ➥ Fiche d'exercices

EXERCICES
lienmini.fr/latin5-091 ET latin5-092

Saisissez cette adresse dans votre navigateur pour retrouver des exercices et travailler chaque objectif.

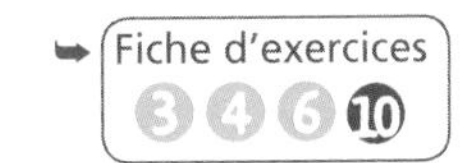

Exercices interactifs

Culture Être romain : identité et filiation

Dans le monde romain, l'identité porte la marque des différences de sexe (homme ou femme) et de statut social (citoyen ou esclave).

Tria nomina

Chaque citoyen romain porte trois noms (tria nomina).

• **praenomen : le prénom.**
Il n'est utilisé que par les proches (à l'écrit, il est toujours réduit aux lettres initiales). Il est donné par le père à son fils quelques jours après sa naissance, en même temps que la bulla. Ce gros médaillon rond (p. 93) est un porte-bonheur et la preuve que l'enfant est né libre. Il renferme des amulettes (menus objets porte-bonheur).

• **nomen : le nom de famille.**
Il est porté par tous les descendants d'un même ancêtre qui forment une gens (*gentis*, f., *famille*). Il est suivi de la mention de la filiation (prénom du père en abrégé).

• **cognomen : le surnom.**
Il permet de distinguer les branches d'une même famille. Il est souvent lié à un détail du corps ou du caractère (p. 85).

❶ Voici les tria nomina d'un célèbre Romain : Caius Julius Caesar. Comment l'appelons-nous ?

❷ On appelle *bulle* le sceau attaché à un acte pour l'authentifier : d'où vient ce nom ?

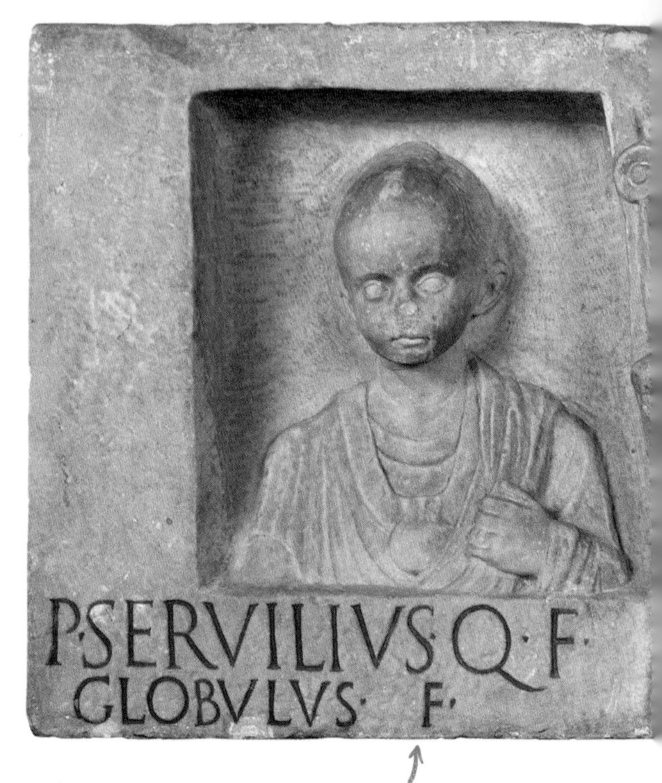

P (= PUBLIUS) SERVILIUS
Q. F. (= Quinti filius, fils de Quintus)
GLOBULUS
F (= FILIUS)

Filles, épouses, mères

Exclues de la vie politique, les femmes ne sont jamais des « citoyennes ». À la naissance, elles ne reçoivent qu'un seul nom, celui de leur père mis au féminin avec la terminaison -ia. Elles le gardent définitivement, même lorsqu'elles changent de famille en cas de mariage. Devenues des matronae (p. 87), elles veillent sur l'éducation de leurs jeunes enfants et s'occupent de la maison : les plus riches ont de nombreux esclaves.

❸ Quel objet montre que l'enfant représenté sur le médaillon est né libre ? (doc. 2)

❹ Comment s'appelait la fille de Caius Julius Caesar ?

2. Une mère et son fils, médaillon romain en verre et or, début du IVe siècle après J.-C., Metropolitan Museum of Art, New York.

Esclaves et affranchis

Dans l'Antiquité, les esclaves sont très nombreux : considérés comme des objets, ils ne portent qu'un surnom (par exemple : Afer, « l'Africain »). Quand ils ont la chance d'avoir obtenu leur liberté, ils prennent le prénom et le nom du maitre qui les a affranchis, tout en gardant leur surnom d'esclave.

5 Lisez à haute voix tous les éléments qui donnent l'identité de l'enfant sur le tombeau. (doc. 1)

6 Proposez une traduction pour son surnom.

7 Contrairement à ses parents, il est né libre : quels indices le montrent ?

1. Tombeau des Servilii, 30 avant J.-C., musées du Vatican, Rome.

Q (= QUINTUS) SERVILIUS
Q. L. (= Quinti libertus, affranchi de Quintus)
HILARUS
PATER

SEMPRONIA
C. L. (= Caii liberta, affranchie de Caius)
EUNE
UXOR

L'épouse (uxor) de Quintus est aussi une ancienne esclave. Libérée par son maitre, Caius Sempronius, elle a pris son nom de famille, auquel s'ajoute son nom d'esclave.

Pour aller plus loin

Identité et citoyenneté dans l'Antiquité et aujourd'hui

› Dans la Rome antique, la citoyenneté n'est réservée qu'à une minorité.

Que signifie être citoyen aujourd'hui ? Quels éléments figurent sur une carte d'identité française ?

Un **parcours** pour explorer la citoyenneté à travers les siècles.

Bulla en or trouvée à Pompéi, Ier siècle après J.-C., musée archéologique de Naples.

Chapitre 10 Apprentissages

Après les sept premières années passées à la maison, la plupart des enfants romains nés libres vont à l'école avant d'entrer dans le monde des adultes.

Lecture

Classe bilingue

Au IIIe siècle, un maitre d'école a composé un guide de conversation bilingue, grec-latin, pour ses élèves. En guise d'entrainement, il imagine la vie quotidienne d'un élève.

Ἀπέρχομαι εἰς τὴν σχολήν.
Vado in scholam.

Πρῶτον ἀσπάζομαι τὸν διδάσκαλον.
Primum saluto magistrum.

5 – Χαῖρε διδάσκαλε.
– Ave magister.

– Χαίρετε μαθηταί.
– Avete discipuli.

– Χαίρετε συμμαθηταί.
10 – Avete condiscipuli.

– Τόπον ἐμοὶ δότε ἐμόν.
– Locum mihi date meum.

– Ἐκεῖ προσχωρεῖτε, ἐμὸς τόπος ἐστίν.
– Illuc accedite, meus locus est.

15 Κάθημαι, μανθάνω,
Sedeo, disco,
ἤδη κατέχω τὴν ἐμὴν ἀνάγνωσιν.
jam teneo meam lectionem.

Γράφω γράμματα Ἑλληνικά, Ῥωμαϊκά.
20 Scribo litteras Graecas, Latinas.

Hermeneumata Pseudodositheana, I, *Colloquium Leidense*.
Recueils d'explications, I, *Conversation* 2, 2-5, vers 280 après J.-C.

Vocabulaire pour traduire

› ἀνάγνωσις, εως (ἡ) • lectio, *onis*, f. : action de reconnaitre (les lettres), lecture
› ἐκεῖ • illuc : là, là-bas
› ἤδη • jam : déjà
› κάθημαι, σαι, ται • sedeo, es, ere : être assis
› κατέχω, εις, ει • teneo, es, ere : tenir, d'où retenir, savoir
› μανθάνω, εις, ει • disco, is, ere : apprendre
› προσχωρῶ, εῖς, εῖ • accedo, is, ere : aller vers, se rapprocher

σχολή, σχολῆς (ἡ) : **repos, loisir, école**
schola, ***scholae***, **f. : leçon, cours, école**

Le latin a directement emprunté au grec ce nom qui à l'origine désignait à la fois le repos et le lieu où on se repose. Puis σχολή/**schola** a pris le sens de loisir consacré à l'étude (leçon, cours) et de lieu où on enseigne, d'où *école*.

Écoutez les textes du chapitre à cette adresse : **lienmini.fr/latin5-100**

Bas-relief en grès (H. : 60 cm) provenant de la cité gallo-romaine de Noviomagus (aujourd'hui Neumagen, près de Trèves), env. 180 après J.-C., musée rhénan de Trèves (Allemagne).

Ce panneau ornait un monument funéraire réalisé à la mémoire d'un chef de famille riche et cultivé qui employait un précepteur grec pour ses trois fils.

Étymologie

a. Au XVIIe siècle, on utilisait encore le nom *escholier* pour désigner un jeune étudiant. Quelles lettres grecques retrouvez-vous dans cette forme ? Comment l'écrit-on aujourd'hui ?

b. Cherchez comment se dit *école* en anglais, allemand, italien, espagnol, portugais. Que constatez-vous ?

Comprendre le texte et l'image

1 Lisez le texte à haute voix, phrase par phrase, en grec et en latin.

2 Proposez une traduction en vous aidant du vocabulaire.

3 Qui parle à la ligne 5 ? Quels indices vous permettent de répondre ?

4 Comment dit-on *grec* et *latin* en grec ?

5 À quel mot grec ou latin du texte rattachez-vous les mots suivants ? Donnez leur sens.
magistral • topographie • latiniste • littéraire • mathématique • lexique • autodidacte • grammatical • helléniste

6 Cherchez le sens du mot *précepteur*. Où se trouve celui qui est représenté sur le bas-relief ?

7 Quels indices permettent de le reconnaitre ?

8 Imaginez que les personnages du bas-relief se mettent à parler : associez à chacun d'eux une phrase du texte de votre choix.

Langue

L'impératif, le verbe *eo*

OBSERVER et REPÉRER

In schola

LECTURE ALTERNÉE

1. Discipuli, tollite libros, eos revolvite et cum voce **legite**. Vos, qui sedetis, **audite** et scribite.
Mes enfants, prenez vos livres, déroulez-les et **lisez** à haute voix. Vous, qui êtes assis, **écoutez** et écrivez.

2. Discipule, non bene legis. Doce Latine loqui. Aperi os et incipe ab initio.
Mon enfant, tu lis mal. Apprends à parler latin. Ouvre la bouche et recommence au début.

Un maitre romain avec ses élèves.

Puis le maitre entraine ses élèves à conjuguer.

3. Discipuli, **declinate** verba : « Eo, is, it, imus, itis, eunt – Ibam, ibas, ibat, ibamus, ibatis, ibant – I, ite ! »
Mes enfants, **conjuguez** les verbes : « Je vais, tu vas, il va, nous allons, vous allez, ils vont – J'allais, tu allais, il allait, nous allions, vous alliez, ils allaient – Va, allez ! »

Identifiez les formes de l'impératif présent actif

1 Phrases 1 et 3
a. En vous aidant des phrases en français, identifiez le mode, le temps et la personne des verbes en gras.
b. À quelle conjugaison chaque verbe appartient-il ? Observez la terminaison de chaque verbe : que remarquez-vous ?

2 Mêmes consignes pour les verbes soulignés à la **phrase 2**.

3 Phrase 1 Retrouvez les cartes d'identité et la conjugaison des verbes tollite, revolvite et scribite.

Identifiez le verbe *eo*

4 Phrase 3
a. Observez la conjugaison du verbe eo au présent de l'indicatif. Que remarquez-vous ?
b. Quel est le radical de l'imparfait de l'indicatif ? celui de l'impératif présent ?

Faites le bilan

5 a. En vous aidant des observations précédentes, recopiez le tableau et classez ces verbes, selon leur modèle de conjugaison.
scribite • doce • aperi • incipe • declinate
b. Complétez le tableau en ajoutant les formes manquantes.

	amo, as, are	video, es, ere	lego, is, ere	capio, is, ere	audio, is, ire
2e p. du sg.					
2e p. du pl.					

Retenez
› bene : bien
› Latine : en latin
› non : ne... pas

PPRENDRE

1 L'impératif présent actif : *amo, video, lego, capio, audio, sum*

En latin, **l'impératif présent actif** est conjugué uniquement à la 2e **personne**. Aux autres personnes on utilise le subjonctif pour donner un ordre.

	amo	video	lego	capio	audio	sum
2e p. du sg.	ama *aime*	vide *vois*	lege *lis*	cape *prends*	audi *entends*	es *sois*
2e p. du pl.	amate *aimez*	videte *voyez*	legite *lisez*	capite *prenez*	audite *entendez*	este *soyez*

Les verbes dico, is, ere (dire), duco, is, ere (conduire) et facio, is, ere (faire) n'ont pas la terminaison **-e** à la 2e p. du sg. : dic (dis), duc (conduis), fac (fais).

2 *Eo, is, ire* (aller)

L'imparfait se forme en ajoutant le suffixe **-ba-** au radical du présent.

Indicatif		Impératif
Présent	**Imparfait**	**Présent**
eo *je vais*	ibam *j'allais*	-
is	ibas	i
it	ibat	-
imus	ibamus	-
itis	ibatis	ite
eunt	ibant	-

Les verbes formés sur **eo** se conjuguent comme lui.

abeo, is, ire : *s'en aller* • **intereo, is, ire :** *mourir* • **redeo, is, ire :** *revenir* • **pereo, is, ire :** *disparaitre* • **transeo, is, ere :** *passer*

S'EXERCER

Conjuguer

1 a. Identifiez la conjugaison de chaque verbe et traduisez.
colite • tenete • scribite • invenite • incipite • vocate
b. Transposez chaque forme à la 2e personne du singulier de l'impératif présent actif et traduisez.

2 a. Identifiez la personne et le temps de ces verbes à l'indicatif : rapiebat • jubebatis • fugimus • cogitabant • dormio • doces.
b. Mettez chaque forme à la 2e personne du singulier de l'impératif présent.

3 Traduisez les phrases en vous aidant éventuellement du lexique.
1. Pare/parete magistro. **2.** Magister vos interrogat : magistro respondete. **3.** Cole/colite deum. **4.** Discipulis tabulas date.

4 a. Traduisez ces verbes.
pereunt • abis • redit • transimus • intereo
b. Mettez chaque forme latine à l'imparfait (même personne) et traduisez.

5, 6 et 7 ➥ Fiche d'exercices

Décliner

8 Déclinez chaque groupe à l'accusatif et au génitif singulier puis à l'accusatif et au génitif pluriel.
longa sententia • bonus magister • studiosus discipulus

Apprendre du vocabulaire

9 a. Retrouvez la carte d'identité complète de chaque nom à l'aide du lexique et apprenez-la.
discipulus • magister • litterae • sententia • tabula • cera • stilus • calamus • cathedra
b. Mêmes consignes pour ces verbes.
aperio • incipio • ostendo • scribo • tollo

S'initier à la traduction

10 **a.** Repérez les verbes conjugués, leurs sujets et leurs COD en vous aidant du lexique si nécessaire.
b. Identifiez le cas des noms en gras puis celui des noms soulignés.
1. Intrat magister : discipulos videt. **2.** Discipuli magistrum salutant. **3.** Magister discipulos interrogat. **4.** Discipuli magistri **verbis** bene respondent. **5.** Deinde **discipulis** sententiam magister scribit : « Verba volant, scripta manent. » **6.** Pueri stilo in tabulis sententiam scribunt.
c. Traduisez.

11 ➥ Fiche d'exercices

EXERCICES
lienmini.fr/latin5-101 ET latin5-102

Saisissez cette adresse dans votre navigateur pour retrouver des exercices et travailler chaque objectif.

Exercices interactifs

Culture École et instruction

Après la domination de la Grèce au IIe siècle avant J.-C., Rome s'ouvre à sa culture et les premières écoles publiques apparaissent.

Maitres et élèves

1. *Un maitre et ses élèves*, scène sur un sarcophage romain, musées du Vatican, Rome.

Les enseignants sont très souvent des affranchis d'origine grecque, payés par les familles et installés sous les portiques des places publiques.

À partir de sept ans, les enfants apprennent à lire, écrire et compter avec un primus magister (premier maitre). Les plus riches ont des précepteurs à domicile. **Vers onze ans**, les adolescents suivent les cours du grammaticus (maitre de langue). **Vers quinze ans**, seuls les fils de familles aisées fréquentent le rhetor (maitre de rhétorique) pour apprendre l'art oratoire.

La plupart des filles, destinées à tenir la maison ne suivent que l'enseignement élémentaire.

1 Si vous alliez à l'école à Rome, quel serait le nom latin de votre professeur ? Dans quelles langues feriez vous vos études ?

2 Qu'est-ce qui distingue le professeur de ses élèves (doc. 1) ?

La férule et le martinet

La méthode d'enseignement, autoritaire et sévère, est fondée sur le « par cœur » et la répétition : l'élève doit rabâcher les leçons du maitre sans discuter. Erreurs et désobéissance sont punies à coups de baguette (ferula, férule). « *C'est toi, l'aurore, qui voles le sommeil des enfants et les livres à leur maitre pour qu'ils tendent leurs mains délicates sous sa baguette impitoyable* », se plaint le poète Ovide (*Amours*, livre I, 13, vers 17-18). Le châtiment peut aller jusqu'à la fessée avec un fouet à lanières de cuir (scutica, martinet) : « *Celui qui n'a pas bien appris sa leçon est souvent bavard, le fouet du cruel Gratius m'a enseigné l'écriture* », commente un graffiti découvert sur un mur de la villa romaine d'Ahrweiler en Allemagne.

2. Portique du Forum de Pompéi, gravure d'après une fresque (aujourd'hui endommagée) découverte dans la maison de Julia Felix à Pompéi, Ier siècle après J.-C.

3 Décrivez la scène représentée sur la fresque (doc. 2).

4 Quel est le cadre de l'école ?

En classe

L'aménagement de l'espace scolaire est très rudimentaire : les enfants sont assis par terre ou sur des bancs, autour du maitre, souvent installé sur un siège à dossier appelé cathedra (du grec καθέδρα).

Le primus magister enseigne d'abord les lettres une par une aux enfants. Ils s'entrainent à les reconnaitre et à les graver sur une tablette de bois (tabula) enduite de cire (cera) avec un poinçon (stilus), dont le bout arrondi sert d'effaceur. Puis on passe aux syllabes, aux mots, aux phrases simples. La lecture se fait à haute voix et les élèves répètent après le maitre. Ils s'initient au calcul en comptant sur les doigts, avec un boulier ou des jetons.

Chez le grammaticus, les adolescents apprennent par cœur des passages entiers des auteurs célèbres, comme Homère et Virgile ; ils les recopient et essaient de les imiter.

Les livres sont des rouleaux de papyrus (volumina), contenant le texte manuscrit en colonnes. Pour lire un ouvrage, il faut donc « dérouler le volume » (volumen explicare) et l'enrouler au fur et à mesure. Pour écrire, on utilise des feuillets de papyrus (chartae), un roseau taillé en pointe (calamus) et de l'encre de seiche (sepia).

3. Reconstitution d'une salle de classe.

4. Une salle de classe aujourd'hui.

5 Quels instruments utilisent les élèves (doc. 3) ? Répondez en français et en latin.

6 À quels mots latins cités dans la page rattachez-vous les mots suivants : cathédrale • chaire • chalumeau • charte • expliquer • sépia • stylet **? Donnez leur sens.**

7 Cherchez ce que signifie l'expression « un cours *ex cathedra* ».

8 Comparez les documents 3 et 4 et commentez les types de classe présentés (place de l'enseignant et des élèves, instruments de travail).

9 Quel est l'équivalent contemporain de la tabula ?

Pour aller plus loin

Les droits de l'enfant

> La convention internationale des droits de l'enfant date seulement de 1989.

Comment défendriez-vous les droits des élèves si vous alliez dans une école de l'Antiquité ? Rédigez les trois premiers articles d'un règlement intérieur.

MNE

Un **parcours** pour réfléchir à la place de l'enfant dans la société, hier et aujourd'hui.

Atelier de traduction

Cornélie, le modèle de la mère romaine

Cornélie (Cornelia Africana, env. 189-110 avant J.-C.), fille de Scipion l'Africain, est la mère des Gracques (Tiberius et Caius Sempronius Gracchus), hommes politiques célèbres et d'une fille, Sempronia.

1. Maxima ornamenta sunt matronis liberi, apud Valerii Maximi libros sic invenimus.	**1.** Les plus beaux ornements pour les mères de famille, ce sont leurs enfants, comme on peut le lire dans les livres de Valère Maxime.
2. Corneliam Gracchorum matrem matrona Campania visitabat.	**2.** Une ... campanienne ... ..., la mère ....
3. Ornamenta sua, pulcherrima illius saeculi, Corneliae ostendit.	**3.** Elle ... ..., les plus beaux de cette époque ....
4. Tum Cornelia matronam sermone trahit donec e schola redeunt liberi. Deinde clamat :	**4.** ... ... retient ... par un [long] entretien, jusqu'à ce que ... ... Elle s'écrit :
5. « Haec ornamenta sunt mea. »	**5.** « Ceux-ci ... . »

D'après **Valère Maxime**, *Faits et dits mémorables*, IV, 4.

Entrez dans le texte

1. Qui est Cornélie ? Quels renseignements l'introduction donne-t-elle ?

Reconstituez l'anecdote

2. Repérez les verbes puis identifiez les cas et les fonctions des mots et groupes de mots surlignés en a. bleu ; b. vert ; c. rose.

3. a. Dans la phrase **3**, identifiez le cas et la fonction du nom surligné en violet.
b. Mêmes consignes pour le nom en orange dans la phrase **2**. Quel indice donne la phrase **3** ?

4. Complétez la traduction.

Comparez l'image et le texte

5. Quel instant du récit est représenté par le peintre ?

6. Quel personnage est mis en valeur dans le tableau ? Par quel procédé ? Cela correspond-il à l'effet visé par l'anecdote de Valère Maxime ?

Angelica Kauffman, *Cornélie mère des Gracques*, 1785, huile sur toile (100,5 x 128 cm), Klassik Stiftung Weimar (Allemagne).

MNE Un **nouvel atelier de traduction** en version numérique.

Précisez le sens des mots

1 Le nom ornamentum, *i*, n. (*ornement, parure, bijou*), appartient à la famille du verbe ornare (*orner*).

a. **Chercher trois synonymes du verbe *orner*.**
b. **Quel intrus s'est glissé dans ses antonymes ?**
déparer • dépouiller • rehausser • enlaidir

2 Le verbe clamo, as, are *(s'écrier, pousser des cris)* est à l'origine d'une famille de mots en français, formés à partir de l'élément **CLAM-** *(cri)*.

Associez chaque nom et sa définition.
acclamation • clameur • déclamation • exclamation • réclame • réclamation • proclamation

ensemble de cris poussés par plusieurs personnes en même temps

action auprès d'une autorité pour faire reconnaitre ses droits

article publicitaire recommandant un produit

cri collectif d'enthousiasme pour saluer ou approuver

fait de faire connaitre publiquement un fait, une décision

fait de prononcer un texte, un discours en rythmant et en accentuant fortement ses paroles

paroles, cris par lesquels on exprime son émotion, ses sentiments

Étudiez une famille de mots à l'aide d'une corole lexicale

3 Retrouvez quatre mots dont la racine latine est mater, *matris*, **f. (la mère) et complétez les bulles en respectant les classes grammaticales.**

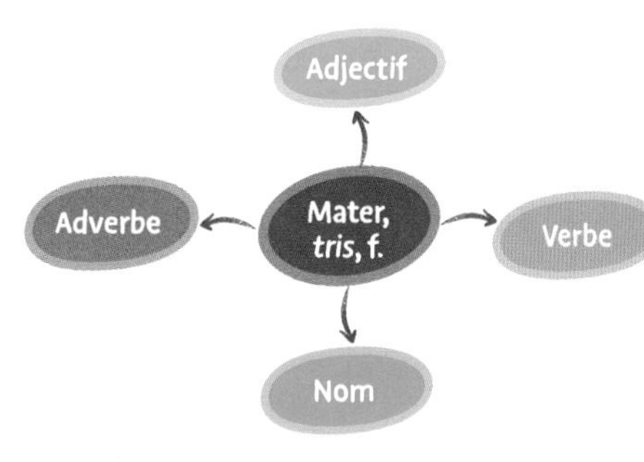

L'arbre à mots

4 Les mots suivants sont les fruits de l'arbre à mots : recopiez-les et encadrez leur radical.
patriarche • patronyme • apatride • rapatrier • patriotisme • paternité

5 Associez chaque définition à un mot de l'exercice 4.

1. Nom de famille commun à tous les descendants d'un même ancêtre.
2. Attachement profond à la patrie.
3. Chef de famille âgé et très respecté.
4. Personne dépourvue de nationalité légale.
5. Faire rentrer dans le pays d'origine.
6. Fait d'être père.

6 Sur le modèle donné pour pater, **fabriquez votre propre arbre à mots à partir du nom** mater.

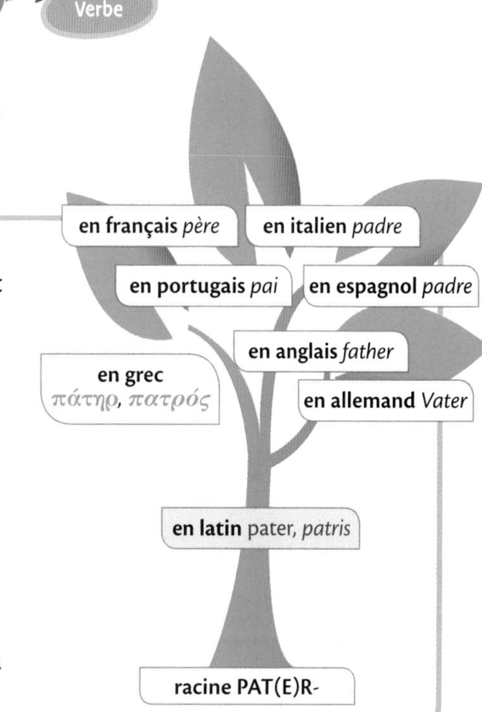

Discipuli et magistri

Julia et Marcus sont à l'école.
Quid agis, Marce ?
Litteras scribo.
Versus edisco. Et tu ?

Discipuli, attendite !
Ecce, attendimus.

Voici des expressions tirées des guides de conversation imaginés par un maitre d'école du IIIe siècle (Hermeneumata, p. 94).

✦ **Un dialogue entre discipulus/-a et magister/-tra :**

Ab hodie studere volo, rogo te ergo, doce me Latine loqui.
Je veux dès aujourd'hui étudier, je te le demande donc, apprends-moi à parler latin.

Latinam linguam te doceo, si me attendis.
Je t'apprends la langue latine, si tu m'écoutes attentivement.

Ecce, attendo. Voilà, j'écoute attentivement.

✦ **Des expressions pour le magister/-tra :**

Bene fecisti, te laudo. Bene est.
Tu as bien fait (= bravo), je te félicite. C'est bien.

Rectus stupes ?
Tu restes debout sans bouger ? (= tu dors debout ?)

Discipuli, tacete, iterum incipite ab initio.
Élèves, taisez-vous, recommencez depuis le début.

✦ **Des expressions pour le discipulus/-a :**

Adsum. Je suis là.

Paratus/parata sum. Je suis prêt.

Genera nominum declino. Je décline les différentes sortes de noms.

Tabulas deleo. J'efface mes tablettes.

✦ **Tempus legendi :**

Volumen explica, lege cum voce.
Déroule le rouleau, lis à haute voix.

Transeo lectionem.
Je fais la lecture d'un bout à l'autre.

Versus poetarum edisco.
J'apprends les vers des poètes par cœur.

✦ **Tempus scribendi :**

Apices fac litterarum.
Fais les formes des lettres (= trace bien les pleins et déliés).

Atramentum tuum aqua pauca dilue.
Dilue ton encre avec un peu d'eau.

Cera dura est, mollis debuit esse.
La cire est dure, elle devrait être molle.

Agite ! C'est à vous !

Organisez des dialogues en latin avec vos camarades et votre professeur en vous inspirant des expressions tirées des guides de conversation appelés Hermeneumata.
Variez les personnes, les temps (présent, imparfait) et les modes (indicatif, impératif) des verbes.

Discite

- attendo, is, ere : écouter attentivement
- dicto, as, are : dire en répétant, dicter
- edisco, is, ere : apprendre par cœur
- explico, as, are : dérouler, développer
- porrigo, is, ere : tendre, présenter, offrir
- sedeo, es, ere : être assis
- taceo, es, ere : se taire
- tollo, is, ere : soulever, prendre

ludendi

La patronne de l'école

→ *Ovide l'appelle « ingeniosa dea » (Fastes, III, vers 840), la déesse « ingénieuse », parce qu'elle incarne la puissance de l'intelligence (ingenium) et protège tous ceux qui apprennent comme tous ceux qui enseignent les arts et les métiers.*

1 Quel est son nom (grec et latin) ?

2 *Les jeunes Romains la priaient en chantant.*
Complétez la traduction pour pouvoir vous adresser à elle.

Pallada nunc **pueri** teneraeque orate **puellae**,
qui bene placarit **Pallada**, **doctus** erit.

Maintenant, ... et tendres ..., priez Pallas,
celui qui aura gagné la bienveillance de ..., sera ....

Ovide, *Fastes*, livre III, vers 815-816.

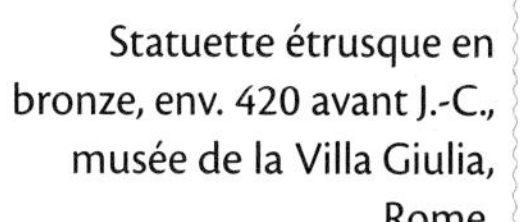

Statuette étrusque en bronze, env. 420 avant J.-C., musée de la Villa Giulia, Rome.

Un professeur mythique

Achille et son professeur, fresque d'Herculanum, Ier siècle après J.-C., musée archéologique national de Naples.

→ *Il est réputé pour sa science et sa sagesse, il a pour élèves les plus grands héros de la mythologie, comme Achille, Jason, Hercule, Énée.*

3 **a.** Qui est-il ?

- ❍ le Cyclope Polyphème
- ❍ le Titan Océan
- ❍ le Centaure Chiron

b. Quelle est sa particularité ?

Tous en scène

Un élève paresseux tente de se trouver de bonnes excuses. Formez une équipe de trois lecteurs (le maitre, le narrateur, l'élève) et présentez le texte latin avec une petite mise en scène théâtrale.

– Nempe haec assidue ! Jam clarum mane fenestras intrat, [...] sufficiat !
Jam liber [...] inque manus chartæ nodosaque venit arundo.
Tum queritur, crassus calamo quod pendeat humor ; nigra quod infusa vanescat sepia lympha.
Dilutas queritur geminet quod fistula guttas ! [...]
– An tali studeam calamo ?

– Eh bien, encore au lit ! Déjà le clair matin entre par les fenêtres, [...] ça suffit !
Enfin il prend en main le livre, [...] les feuillets de papyrus et le roseau noueux. Mais le voilà qui se plaint : le liquide trop épais reste suspendu au roseau taillé ; le noir de seiche s'efface, une fois délayé à l'eau. Il se plaint que le tuyau du roseau dédouble les gouttes de l'encre trop diluée ! [...]
– Est-ce que je peux m'appliquer avec un tel roseau ?

Perse (34-62 après J.-C.), *Satires*, III, vers 1-19.

Partie

6 Art de vivre

À partir du IIe siècle avant J.-C., grâce à l'afflux des richesses dû aux conquêtes et au développement du commerce, les Romains découvrent le gout du luxe. Les familles aisées reçoivent dans des maisons de plus en plus opulentes : l'élégance de la décoration comme le faste des repas témoignent d'un art de vivre raffiné.

MNE

PEAC

Une **étude d'œuvre, une fiche d'activités** et un **parcours Histoire des arts** pour étudier la technique de la **fresque**.

Fresque murale qui ornait une pièce de la maison dite du Bracelet d'or à Pompéi, Ier siècle après J.-C.

Lire l'image

La fresque offre la perspective en trompe-l'œil d'un jardin luxuriant.

1. **Cherchez ce qu'est un « trompe-l'œil ».**
2. **Décrivez le jardin : quels éléments comporte-t-il ?**

Chapitre 11

La maison romaine

En ville, les Romains les plus riches vivent dans une maison spacieuse, qui montre toute une organisation sociale et familiale.

Lecture

La maison idéale

L'architecte Vitruve explique les principes d'organisation d'une maison en ville au Ier siècle avant J.-C.

Animadvertendum est quibus rationibus privatis aedificiis propria loca patribus familiarum et quemadmodum communia cum extraneis aedificari debeant. (5) Namque ex his quae propria sunt, in ea non est potestas omnibus introeundi nisi invitatis ; quemadmodum sunt **cubicula**, **triclinia**, (10) **balnea** [...]. Communia autem sunt, quibus etiam invocati suo jure de populo possunt venire, id est **vestibula**, **atria**, **peristyla** [...]. Igitur is qui (15) communi sunt fortuna, non necessaria magnifica **vestibula** nec **tablina** neque **atria** [...]. Nobilibus vero, qui honores magistratusque gerundo praestare debent officia (20) civibus, facienda sunt **vestibula** regalia, alta **atria**, et **peristyla** amplissima.

Marcus Vitruvius Pollio, *De Architectura*, liber sextus.

Il faut faire attention aux règles selon lesquelles pour les édifices privés on doit construire les espaces qui sont destinés en particulier aux pères de famille et ceux qui sont partagés avec les gens qui viennent de (5) l'extérieur. En effet, pour les espaces qui sont destinés en particulier à la famille, il n'est pas possible à tous d'y entrer à moins d'avoir été invité, comme les ______ , les ______ , les ______ . [...] (10) Mais il y a des espaces qui sont partagés, dans lesquels les gens du peuple peuvent venir à bon droit sans y avoir été appelés : ce sont les ______ , les ______ , les ______ [...]. Ainsi donc pour ceux qui ont une fortune ordinaire il n'est (15) pas nécessaire d'avoir des ______ magnifiques, ni des ______ , ni des ______ [...]. Mais pour les notables, qui exercent les charges honorifiques de l'État et qui doivent se distinguer en assurant les devoirs de leurs fonctions auprès des (20) citoyens, il faut faire des ______ dignes d'un roi, de vastes ______ , et des ______ très imposantes.

Vitruve (env. 90-20 avant J.-C.), *De l'architecture*, livre VI, 5, 1-2.

atrium, *i*, **n. : grande salle carrée ou rectangulaire à ciel ouvert**

Hérité du type d'habitation étrusque, l'atrium était à l'origine l'espace central de la maison romaine. Véritable foyer de la vie familiale, il servait aussi bien de lieu de travail et de réunion que de cuisine et de salle à manger. Par la suite, il devint un espace de réception.

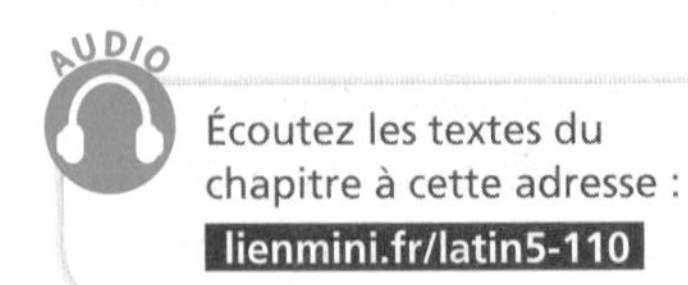
Écoutez les textes du chapitre à cette adresse : lienmini.fr/latin5-110

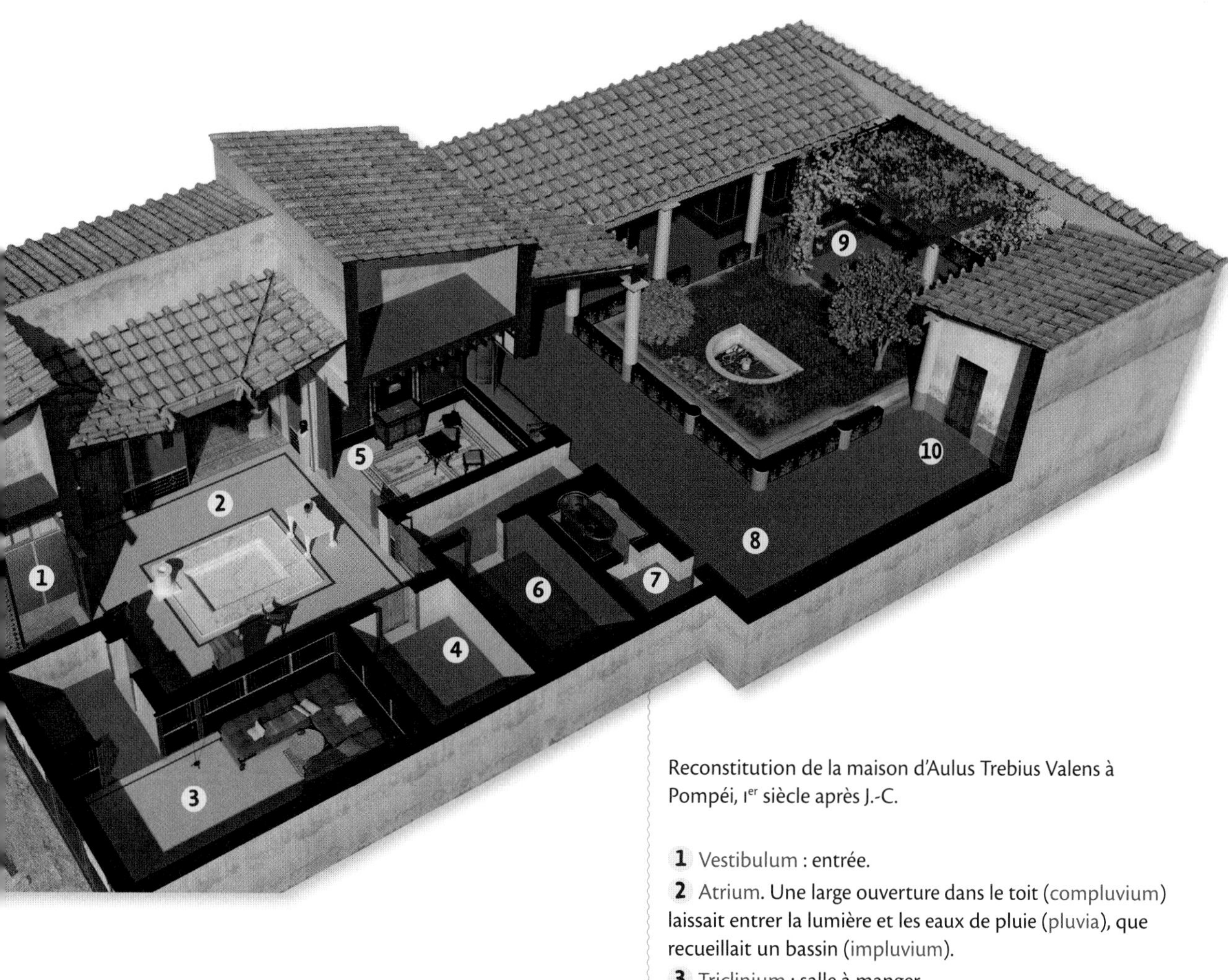

Reconstitution de la maison d'Aulus Trebius Valens à Pompéi, Ier siècle après J.-C.

1 Vestibulum : entrée.

2 Atrium. Une large ouverture dans le toit (compluvium) laissait entrer la lumière et les eaux de pluie (pluvia), que recueillait un bassin (impluvium).

3 Triclinium : salle à manger.

4 Cubiculum : chambre à coucher.

5 Tablinum : bureau du maitre de maison (on pouvait le fermer par un rideau ou par un paravent en bois).

6 Culina : cuisine avec latrina (WC) dans un réduit au fond.

7 Balnea : salle de bains.

8 Peristylum : cour intérieure avec jardin et bassin, entourée d'un portique.

9 Triclinium aestivum : salle à manger d'été.

10 Oecus : salon.

Étymologie

a. Le nom atrium a été rapproché de l'adjectif ater, atra, atrum (noir) car la pièce était à l'origine *noircie* par la fumée du foyer. Quel adjectif issu de la même famille, signifiant « qui a l'air noir », est un synonyme de *affreux* ?

b. Quel nom latin retrouvez-vous dans *pluviométrie* ? Que signifie ce nom ?

Comprendre le texte et l'image

1 **Lisez le texte latin à haute voix.**

2 **Retrouvez la traduction des espaces de la maison (mots en gras) grâce à la légende de l'image.**

3 **Retrouvez les mots latins correspondant aux groupes de mots français soulignés dans le texte.**

4 **Dans la maison d'un Romain aisé, il y a des espaces qualifiés de propria ou de communia. Expliquez la distinction : sur quoi est-elle fondée ? Citez les noms latins de ces espaces.**

5 **Quel objectif principal vise un Romain qui fait construire sa maison ?**

❍ vivre confortablement

❍ avoir beaucoup de place pour une famille nombreuse

❍ montrer sa réussite sociale et sa richesse

Langue Les compléments circonstanciels de lieu et de temps

OBSERVER et REPÉRER

In horto

1. Ubi est ?
In horto ambulat.
Où est-il ?
Il se promène **dans** le jardin.
2. Quo it ?
In hortum intrat.
Où va-t-elle ?
Elle entre **dans** le jardin.
3. Qua iter facit ?
Per hortum iter facit.
Par où passe-t-elle ?
Elle passe **par** le jardin.
4. Unde venit ? **Ex** horto exit.
D'où vient-il ? Il sort **du** jardin.
5. Deinde **qua** iter facit ? Via Appia iter facit.
Ensuite, **par où** passe-t-il ? Il passe par la Via Appia.

6. Quando ambulat ? Sexta hora ambulat.
Quand se promène-t-il ? Il se promène à la 6e heure (midi).

7. Quamdiu ambulat ? Paucas horas ambulat.
Pendant combien de temps se promène-t-il ? Il se promène pendant quelques heures.

Identifiez les compléments circonstanciels de lieu

1 Quel est le cas du groupe de mots correspondant à l'expression « *dans le jardin* » à la phrase **1** ? à la phrase **2** ? Quelle différence de sens relevez-vous entre les deux phrases ?

2 **Phrase 4** Identifiez le cas du nom horto. Que signifie la préposition ex ?

3 **Phrases 3 et 5** Donnez la fonction des groupes de mots précédés de la préposition *par*. Que remarquez-vous en latin ?

Identifiez les compléments circonstanciels de temps

4 **Phrases 6 et 7**
Identifiez les cas des groupes circonstanciels de temps. Quelle différence de sens relevez-vous entre les deux groupes ?

Faites le bilan

5 Recopiez et complétez ces phrases.
Les compléments circonstanciels de lieu et de temps sont à l'... ou à l'....
L'... exprime le lieu vers lequel on se dirige, la distance parcourue ou la durée.
L'... exprime le lieu où l'on est, le point de départ ou un repère chronologique.

Retenez

› ubi : où ? (lieu où l'on se trouve)
› quo : où ? (lieu où l'on va)
› unde : d'où ? (lieu d'où l'on vient)
› qua : par où ? (lieu par où l'on pass

APPRENDRE

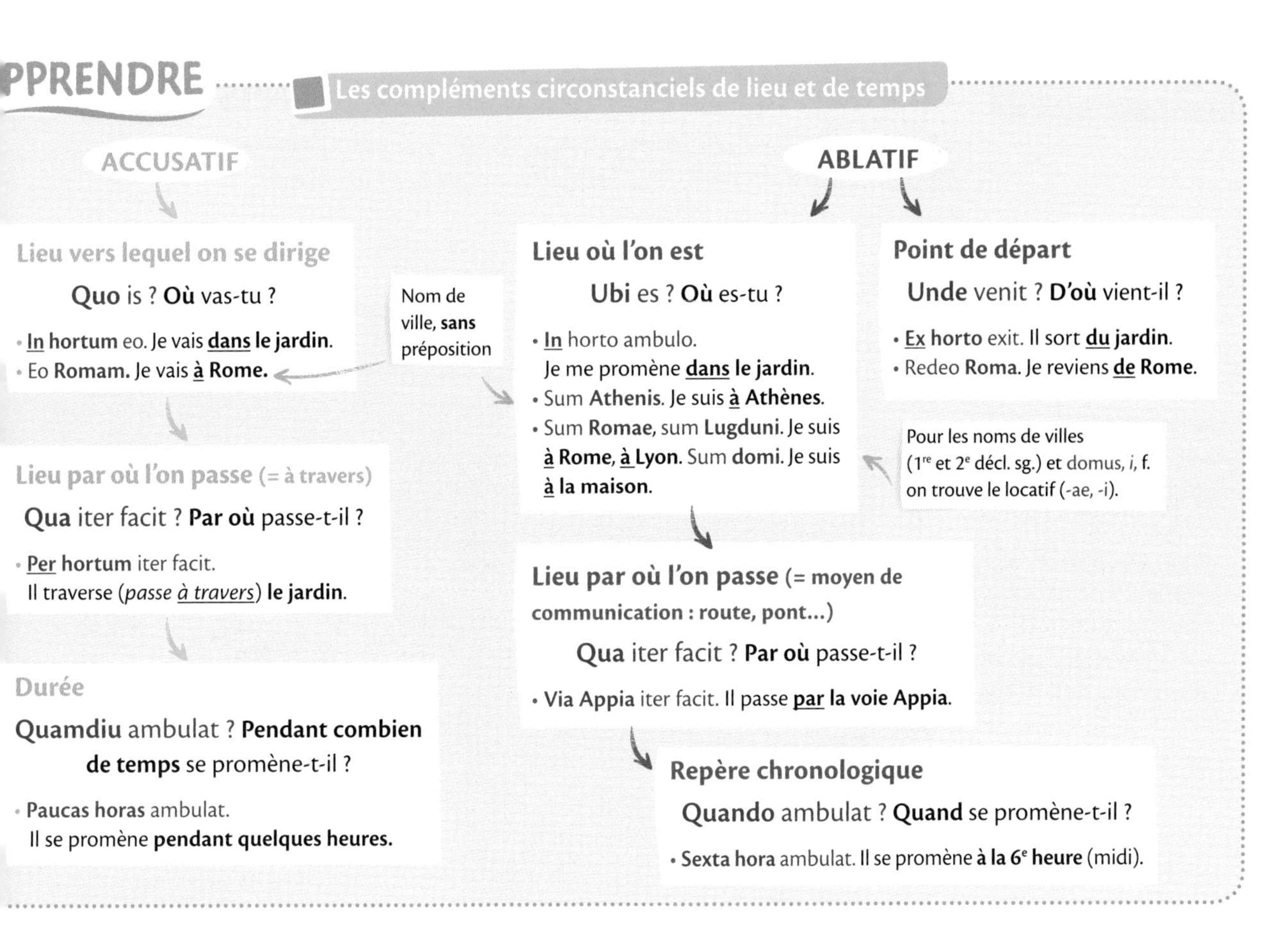

Les compléments circonstanciels de lieu et de temps
ACCUSATIF
ABLATIF
Lieu vers lequel on se dirige
Quo is ? Où vas-tu ?
• In hortum eo. Je vais dans le jardin.
• Eo Romam. Je vais à Rome.
Nom de ville, sans préposition
Lieu où l'on est
Ubi es ? Où es-tu ?
• In horto ambulo. Je me promène dans le jardin.
• Sum Athenis. Je suis à Athènes.
• Sum Romae, sum Lugduni. Je suis à Rome, à Lyon. Sum domi. Je suis à la maison.
Point de départ
Unde venit ? D'où vient-il ?
• Ex horto exit. Il sort du jardin.
• Redeo Roma. Je reviens de Rome.
Pour les noms de villes (1re et 2e décl. sg.) et domus, i, f. on trouve le locatif (-ae, -i).
Lieu par où l'on passe (= à travers)
Qua iter facit ? Par où passe-t-il ?
• Per hortum iter facit. Il traverse (passe à travers) le jardin.
Lieu par où l'on passe (= moyen de communication : route, pont…)
Qua iter facit ? Par où passe-t-il ?
• Via Appia iter facit. Il passe par la voie Appia.
Durée
Quamdiu ambulat ? Pendant combien de temps se promène-t-il ?
• Paucas horas ambulat. Il se promène pendant quelques heures.
Repère chronologique
Quando ambulat ? Quand se promène-t-il ?
• Sexta hora ambulat. Il se promène à la 6e heure (midi).

S'EXERCER

Reconnaitre les CC de lieu et de temps

1 Repérez les CC de lieu.

1. Multi servi in Italia laborant.
2. Quotidie in hortum eunt.
3. E schola cum amicis reditis et viis notis iter facitis. (notus, a, um : *connu*)
4. Quotidie in horto ambulat.
5. In scholam libenter (*volontiers*) imus.
6. Tite, Romae mane (maneo, es, ere : *rester*) !

2 Replacez chaque CC de lieu dans la phrase qui convient : in secretum locum • e schola • in muri umbra • per vicinos hortos • in tabulis.

1. Discipuli … sententias scribebant.
2. … clam (*en cachette*) redibamus et amicum meum … agebam.
3. … iter faciebamus.
4. … sedebamus.

3 et **4** ➥ Fiche d'exercices

5 Repérez les CC de temps et de lieu.

1. Autumno Roma abest.
2. Servi paucas horas laborabant.
3. Per Italiam advena duos annos iter facit.

6 ➥ Fiche d'exercices

Apprendre du vocabulaire

7 En vous aidant du lexique, retrouvez puis apprenez les cartes d'identité de ces adjectifs.

a. albus • amoenus • altus • certus • commodus • pauci • multi
b. primus • secundus • tertius • quartus • quintus • sextus

S'initier à la traduction

8 Traduisez en vous aidant du lexique si nécessaire.

1. Olim Graeci in Italiam e patria saepe ibant.
2. Nunc Romani ex Italia in Graeciam eunt.
3. Adulescentes (*les jeunes*) Romani saepe Athenas eunt.
4. Aut in Graecis insulis aut Athenis diu manent et multos annos litteras Graecas discunt.
5. Deinde e Graecia Romam docti redeunt.

9 Traduisez les phrases des exercices **1**, **2** et **5** en vous aidant du lexique si nécessaire.

10 ➥ Fiche d'exercices

+ EXERCICES **lienmini.fr/latin5-111 ET latin5-112**
Saisissez cette adresse dans votre navigateur pour retrouver des exercices et travailler chaque objectif.

➥ 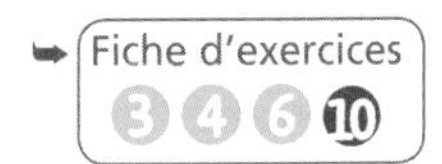

+ 

Culture Visiter une *domus*

Les archéologues ont retrouvé les vestiges de très nombreuses domus construites dans tout l'empire romain. Les plus beaux exemples se trouvent à Pompéi.

In situ

Pompéi a été préservée par l'épaisse couche de cendre qui l'a recouverte pendant dix-sept siècles. Peu à peu certaines de ses maisons ont été dégagées, telle celle de Caius Cornelius Rufus en 1855.
Malheureusement le site s'est beaucoup dégradé depuis sa redécouverte. Il ne reste rien aujourd'hui de la décoration de la maison de Rufus, qui menace de s'effondrer.

1. *La Maison de Rufus*, XIXe siècle, illustration extraite de *Pompéi*, vol. II, par Fausto et Felice Niccolini, bibliothèque des Arts Décoratifs, Paris.

1 Cherchez où se trouve la cité de Pompéi Que lui est-il arrivé ? À quelle date ?

2 Que fait le personnage assis ? (doc. 1)

2. Pieds de table en marbre, Ier siècle après J.-C., musée archéologique national de Naples.

D'importants travaux ont été entrepris pour tenter de sauver les édifices de Pompéi. Certaines maisons sont en cours de restauration, comme la maison des Vettii, une des plus célèbres de la ville, partiellement réouverte au public le 23 décembre 2016.

3 De quelle maison proviennent les objets en marbre ? Décrivez-les. (doc. 1 et 2)

4 Quels dangers menacent la décoration des maisons ? (doc. 1 et 3)

5 Décrivez le personnage encore visible (doc. 3) : qui est-il à votre avis ? Qu'est-il en train de faire ?

3. Fresque sur un mur de l'atrium de la maison des Vettii, octobre 2005.

La *domus* virtuelle

Grâce aux dessins et relevés faits *in situ*, de nombreux illustrateurs du XIXe siècle ont reconstitué diverses maisons pompéiennes en leur donnant une forme de réalité « virtuelle ». Aujourd'hui, décorateurs et dessinateurs s'inspirent de leurs travaux comme des découvertes archéologiques pour recréer le cadre de vie de personnages antiques (cinéma, bande dessinée).

6 Quelle est la maison représentée ? (doc. 4)

7 Décrivez le décor et les personnages : dans quelle pièce se trouvent-ils ? (voir p. 107)

8 Quelle pièce de la maison est représentée ? (doc. 5)

9 Quels éléments architecturaux et décoratifs retrouvez-vous ? (doc. 1, 4 et 5)

4. *Intérieur d'une maison pompéienne*, lithographie, env. 1890.

5. *Alix Senator*, Valérie Mangin (scénario) et Thierry Démarez (dessins), 2012. Alix est ici en visite dans la maison du général Rufus.

Pour aller plus loin

Explorer une maison pompéienne

> Grâce aux nouvelles technologies, on peut aujourd'hui déambuler dans une maison pompéienne.

Visionnez la vidéo et prenez des notes sur ce que vous voyez. Rédigez un compte rendu de votre visite.

Saisissez cette adresse dans votre navigateur pour visiter une *domus* :
lienmini.fr/latin5-113

Une domus reconstituée par ordinateur, Capware (Italie), 2002.

Chapitre 12

Les arts de la table

Pour les Romains, le repas est un important moment de convivialité en famille ou entre amis.

Lecture

Le ballet de Tranche

Pour impressionner ses invités, le riche Trimalcion a fait préparer un banquet somptueux. L'un des convives raconte l'arrivée du plat principal.

Voici que quatre danseurs s'avancent en sautillant au son de l'orchestre. Ils enlèvent la cloche qui couvre le plat. Nous voyons alors des poulardes bien grasses, des tétines de truie, et, au milieu, un lièvre paré d'ailes pour ressembler à Pégase. Aux angles du plat, quatre statuettes en forme de satyres, dotés de petites outres, déversent des flots de sauce au poivre sur des poissons nageant comme dans un canal. Les esclaves donnent le signal des applaudissements : nous suivons le mouvement et nous nous attaquons en riant à cette nourriture délicate. Trimalcion n'est pas moins réjoui de la surprise :

– Carpe ! inquit.
Procedit statim scissor et ad symphoniam gesticulatus lacerat opsonium [...]. Ingerebat nihilo minus Trimalchio lentissima voce :
« **Carpe ! Carpe !** »
Ego suspicatus ad aliquam urbanitatem totiens iteratam vocem pertinere, non erubui eum qui supra me accumbebat, hoc ipsum interrogare. At ille, qui saepius eiusmodi ludos spectaverat :
– **Vides illum, inquit, qui opsonium carpit : Carpus vocatur. Ita, quotiescumque Trimalchio dicit «Carpe», eodem verbo et vocat et imperat.**

Caius Petronius Arbiter, *Satyricon*.

– Tranche ! dit-il.

. [...] Trimalcion ne continuait pas moins de répéter d'une voix très lente :
« »
Moi, soupçonnant que ce mot redit autant de fois était lié à quelque plaisanterie, je n'ai pas eu honte d'interroger là-dessus mon voisin de table. Et lui, qui avait déjà assisté assez souvent à des jeux de ce genre :
–

Pétrone (env. 15-66 après J.-C.), *Satyricon*, XXXVI.

Vocabulaire pour traduire
ad symphoniam : en suivant la cadence de la musique • eodem verbo : avec le même mot • opsonium, *ii*, n. : provisions de nourriture, mets, plat • scissor, *oris*, m. : esclave chargé de découper les viandes, nommé Carpus (Tranche)

vox, ***vocis***, **f. : la voix, la parole, le mot**

Bâti sur la racine *voc-*, le nom désigne la voix en tant qu'organe, mais aussi en tant que son produit (parole, mot prononcé). Dans la même famille, le verbe voco, as, are signifie *appeler* au sens de « désigner par un nom » (nommer) ou de « faire venir » (inviter).

Écoutez les textes du chapitre à cette adresse : **lienmini.fr/latin5-120**

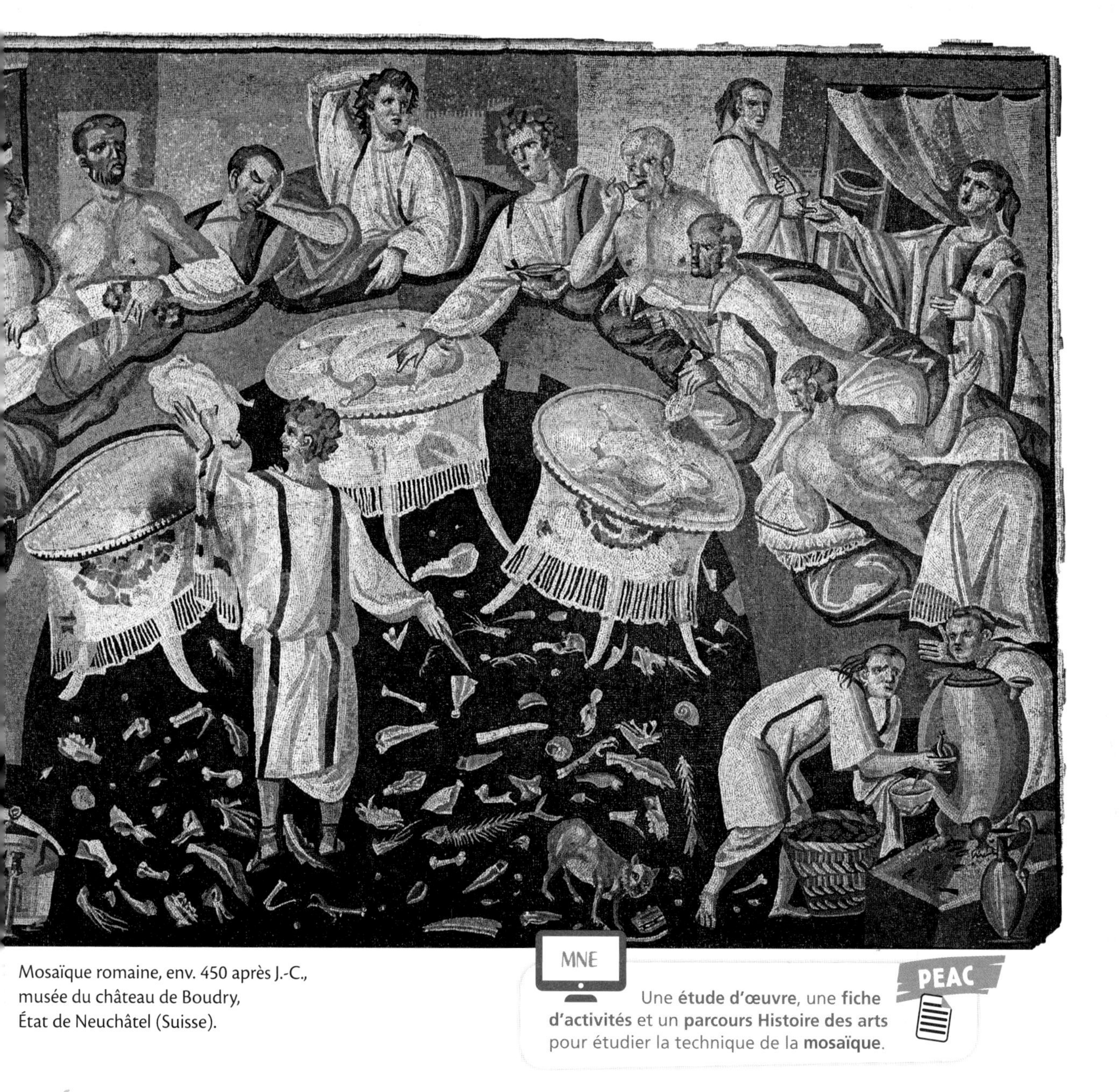

Mosaïque romaine, env. 450 après J.-C., musée du château de Boudry, État de Neuchâtel (Suisse).

MNE

PEAC

Une **étude d'œuvre**, une **fiche d'activités** et un **parcours Histoire des arts** pour étudier la technique de la **mosaïque**.

Étymologie

a. Quel nom latin retrouvez-vous dans *vociférer, convocation, provocation, vocabulaire, vocable* ? Expliquez le sens de ces mots.

b. À quoi servent les cordes vocales ? le vocatif ? Donnez l'étymologie et le sens des deux mots soulignés.

c. Que fait un chanteur pour entretenir sa voix ?
❍ des vocalises ❍ des vociférations ❍ des invocations

Comprendre le texte et l'image

1 **Lisez le texte français puis le texte latin à haute voix.**

2 **Traduisez les passages en gras avec l'aide du vocabulaire et du lexique.**

3 **Sur quel mot porte la plaisanterie de Trimalcion ? Expliquez les deux emplois grammaticaux de ce mot.**

4 **Quels détails du repas montrent qu'il est organisé comme un véritable spectacle ? Cherchez qui sont Pégase et les satyres (l. 4).**

5 **Que représente la mosaïque ?**

6 **Décrivez les personnages et le décor.**

7 **L'un des serviteurs rappelle l'un des personnages de Pétrone. Lequel ? Nommez-le en latin.**

Langue Le futur de l'indicatif

OBSERVER et REPÉRER

Amicis cenam dabo...

1. « Cras amicis cenam dabo.
« Demain je donnerai un diner pour mes amis.

2. Tu puer, cum me ad macellum venies.
Toi, mon petit esclave, tu viendras au marché avec moi.

3. Ad forum olitorium ire **poterimus** et poma emam.
Nous **pourrons** aller au marché aux légumes et j'achèterai des fruits.

4. Ad piscarium quoque **ibimus** : interrogabis quantum piscis et emes omnia quae necessaria **erunt.** »
Nous **irons** aussi chez le poissonnier : tu demanderas combien coute le poisson et tu achèteras tous [les aliments] qui **seront** nécessaires. »

5. Deinde dominus cum puero per hortos iter faciet. Domum **redibunt** : ibi mensam puer tergebit et in mensa discum ponet cum olivis albis, caseo, fungis.
Ensuite, le maitre passera par les jardins avec son esclave. Ils **rentreront** à la maison : là, l'esclave essuiera la table et, sur la table, il posera le plateau avec les olives blanches, le fromage, les champignons.

Poissons et canards, mosaïque de Pompéi, Ier siècle après J.-C., musée archéologique de Naples.

À l'oral

Choisissez la légende qui convient pour l'image en vous aidant du lexique.
a. Pisces et gallinae.
b. Pisces et coqui.
c. Pisces et anaticulae.

Identifiez le futur de l'indicatif actif

1 Phrases 1 et 3
a. En vous aidant éventuellement du lexique, retrouvez les cartes d'identité des verbes au futur dabo et emam.
b. Identifiez la conjugaison de chaque verbe : que remarquez-vous ?

2 Phrases 2 et 4
a. Mêmes consignes pour les verbes au futur venies, interrogabis et emes.
b. À quelle personne sont ces verbes ? Que remarquez-vous ?

3 Phrase 5
a. Retrouvez les cartes d'identité des verbes au futur faciet, tergebit et ponet.
b. Quel est le modèle de conjugaison de chaque verbe ? À quelle personne sont-ils ? Que remarquez-vous ?

4 Identifiez chaque verbe en gras et mettez-le au présent en conservant la personne. Aidez-vous de la traduction.

Faites le bilan

5 En vous aidant des observations précédentes, recopiez le tableau et complétez-le avec les verbes suivants.
dabo • venies • emam • interrogabis • emes • faciet • tergebit • ponet

	amo	video	lego	capio	audio
1re pers. du sg.					
2e pers. du sg.					
3e pers. du sg.					

Retenez
› ad + Acc. : vers, à
› cras : demain
› quantum : combien

PPRENDRE — Le futur de l'indicatif

amo, as, are	video, es, ere	lego, is, ere	capio, is, ere	audio, is, ire	sum	possum	eo, is, ire
amabo *j'aimerai*	videbo *je verrai*	legam *je lirai*	capiam *je prendrai*	audiam *j'entendrai*	ero *je serai*	potero *je pourrai*	ibo *j'irai*
amabis	videbis	leges	capies	audies	eris	poteris	ibis
amabit	videbit	leget	capiet	audiet	erit	poterit	ibit
amabimus	videbimus	legemus	capiemus	audiemus	erimus	poterimus	ibimus
amabitis	videbitis	legetis	capietis	audietis	eritis	poteritis	ibitis
amabunt	videbunt	legent	capient	audient	erunt	poterunt	ibunt

Le futur de **amo** et **video** se forme en ajoutant le suffixe -b(i/u)- au radical du présent.

Le futur de **lego, capio** et **audio** se forme en ajoutant le suffixe **-a-/-e-** au radical du présent.

Le futur de **sum** se forme à partir du radical er-/eri-.

Le futur de **eo** se forme avec le suffixe -b(i/u)-.

S'EXERCER

Conjuguer

1 Mettez ces verbes au futur (conservez la personne) et traduisez.

adsunt • abes • praeerant • possumus • desumus • deeratis • poterat • aberas

2 Traduisez ces verbes : aderit • colam • monebunt • nvenies • cupiemus • vocabitis.

3 Identifiez la conjugaison de chaque verbe en vous aidant du lexique et traduisez.

valemus • manet • coles • movet • petet • tenes • delemus • venietis • facient • cupiemus

4 Identifiez la conjugaison de chaque verbe et traduisez les phrases en vous aidant du lexique.

1. Servi domino parebunt.
2. In convivio, poma gustabimus, olivas edemus, vinum bibimus.
3. Cras domum redibunt.
4. Romae eritis.
5. In agris, servi miseram vitam agent.
6. Convivae dominum audient.

5 et 6 ➥ Fiche d'exercices

Décliner

7 Déclinez chaque groupe de mots à l'accusatif (sg.) puis au génitif (sg. et pl.).

magna cena • longum convivium • bonus conviva

8 ➥ Fiche d'exercices

Apprendre du vocabulaire

9 a. En vous aidant du lexique, retrouvez puis apprenez les cartes d'identité de ces noms.

cena • jentaculum • prandium • conviva • minister • mensa • convivium

b. Mêmes consignes pour ces verbes.

coquo • edo • bibo • gusto

S'initier à la traduction

10 a. Repérez les noms au nominatif dans chaque phrase.
b. Mettez au présent puis au futur de l'indicatif les verbes à l'infinitif.

1. Cras dominus amicis cenam (dare).
2. Post jentaculum, ad forum dominus cum puero (properare).
3. Multa poma (emere) et domum (redire).
4. Magna cura servi cenam domino (parare).
5. Dominus amicos non diu (exspectare) : hora certa amici (venire).
6. Boni ministri olivas, caseum cum aceto et garo in mensa (disponere).
7. Dominus et amici vinum et mulsum in poculis (bibere).

c. Traduisez les phrases au présent puis au futur.

11 ➥ Fiche d'exercices

EXERCICES **lienmini.fr/latin5-121 ET latin5-122**
Saisissez cette adresse dans votre navigateur pour retrouver des exercices et travailler chaque objectif.

➥ Fiche d'exercices 5 6 8 11

Exercices interactifs

Culture

Se nourrir à Rome

Les Romains ont des habitudes alimentaires qui varient selon le moment de la journée et selon leur richesse.

Repas et aliments

Tant qu'ils n'ont pas terminé leurs activités du jour, les Romains mangent très peu. Au lever du soleil, le petit déjeuner (jentaculum) se réduit à une simple coupe d'eau et un morceau de pain. Les enfants grignotent des biscuits sur le chemin de l'école. Vers midi, on expédie le déjeuner (prandium) sans se mettre à table : du pain frotté d'ail, du fromage, des olives ou des fruits. C'est seulement vers 16 heures que, dans les maisons de familles aisées, on s'installe dans le triclinium pour un repas copieux (cena), préparé par des esclaves chargés de la cuisine.

Les Romains les plus modestes se contentent souvent de la nourriture achetée dans une boutique qu'on appelle thermopolium (du grec *thermo-*, chaud et *-polium*, « acheter »). Sur un grand comptoir de marbre, donnant directement sur la rue, on sert du vin, mélangé avec de l'eau et du miel, parfumé d'herbes. Des plats variés sont aussi proposés, à consommer sur place ou à emporter : soupes, fruits de mer, ragouts de viande, charcuteries. Les plus pauvres achètent saucisses ou pois chiches à des marchands ambulants.

1. Reconstitution d'une boutique à Pompéi, aquarelle de Jean-Claude Golvin, musée départemental de l'Arles antique.

2. Boutique spécialisée dans la vente de boissons chaudes, Pompéi, Ier siècle après J.-C.

1. **Nommez la boutique. Quels éléments reconnaissez-vous ? (doc. 1 et 2)**
2. **Comment appelle-t-on aujourd'hui un établissement qui fait de la « restauration rapide » ?**
3. **De quel mot latin sont issus les noms *cène* et *cénacle* ? Que signifient-ils ?**
4. **Sept intrus se sont glissés dans la liste des aliments consommés par les Romains : relevez-les. Pourquoi ces produits ne pouvaient-ils être mangés ?**
   ognons • poires • calamars • ananas • raisin • noix • riz • dattes • tomates • fèves • cerises • rouget • pommes de terre • crevettes • olives • maïs • chou • miel • pâtes • poulet • chocolat • asperges • sucre • ail • figues • huitres • fraises

Luxe et gastronomie

Au fil des conquêtes, les Romains ont découvert le gout du luxe : ils aiment recevoir et afficher leur fortune en offrant des mets de plus en plus exotiques, servis dans de la vaisselle précieuse, en or, argent massif, cristal, verre soufflé.

De nombreux esclaves font le service et découpent les parts. Allongés sur les lits du triclinium, les convives ont une coupe, diverses cuillères, des cure-dents, mais pas de couteau ni de fourchette : on mange avec les doigts. La cuisine se fait à l'huile, avec beaucoup d'épices et un gout très marqué pour le mélange sucré-poivré. Les Romains raffolent surtout du garum (ou liquamen, jus), véritable condiment national.

3. Fresque murale d'un triclinium de la maison des Chastes Amants, Pompéi, Ier siècle après J.-C.

On appelle garum une espèce de sauce très recherchée, préparée avec des intestins de poisson et d'autres parties qu'autrement on jetterait : on les fait macérer dans le sel jusqu'à leur putréfaction. Il n'y a pour ainsi dire aucun liquide, à l'exception des parfums, qui se paye aussi cher. Le garum fait même la glorieuse réputation des pays d'où il vient. Les poissons sont pêchés sur les côtes de Maurétanie et de Bétique, lorsqu'ils entrent de l'Océan dans la Méditerranée. Carthage, Pompéi, Antipolis sont aussi renommées pour leur production de garum.

Pline l'Ancien (23-79 après J.-C.), *Histoire naturelle*, livre XXXI, 43.

Une **vidéo** sur la gastronomie romaine.

5 Que représente la fresque ? À quel moment de la journée se situe la scène ? (doc. 3)

6 Décrivez l'attitude des personnages, le mobilier et les objets.

7 Quels pays et villes étaient réputés pour leur garum ? Quels sont leurs noms aujourd'hui ?

8 Quelle sauce moderne ressemble au garum ?

APPRENTI ARCHÉOLOGUE

Les archéologues ont découvert ce fragment de mosaïque quand ils ont dégagé le sol de l'atrium dans la maison d'Aulus Umbricius Scaurus, producteur-vendeur de garum à Pompéi au Ier siècle après J.-C. On sait que le meilleur garum était celui de maquereau (garum scombri), appelé « la fleur » (flos) : celui de Scaurus, provenant de sa fabrique (officina), était très recherché.
Voici ce qui est inscrit sur l'amphore :

G[---] • F[---] • SCOM[---] SCAURI
• EX OFFI[--]NA • SCAURI

Recopiez tous les mots, complétez les lettres qui manquent (attention au nombre de lettres et aux cas), puis traduisez.

Atelier de traduction

Une maison pleine de surprises

Deux jeunes Romains sont invités chez Trimalcion (p. 112), un ancien esclave qui a acquis une énorme fortune.

1. Super limen cavea **pendebat** aurea, in qua pica varia convivas **salutabat**.

2. Non longe ab ostiarii cella, canis ingens, catena vinctus, in pariete erat pictus superque quadrata littera scriptum erat :

1. Au-dessus du seuil, ..., dans laquelle une ... ...

2. Non loin de ... ..., un chien énorme, attaché par ..., était peint sur le mur et au-dessus était écrit en ... :

Cave canem, mosaïque, Ier siècle après J.-C., maison du Poète tragique, Pompéi.

4. Praeterea in pariete tabulae pictae Troiae bellum **narrabant.**

5. Et armarium in angulo **spectabamus** : in aedicula **erant** Lares argentei Venerisque signum marmoreum.

4. En outre, sur le mur, des ... ...

5. Et ... ... une ... : ... ... des Lares en argent et ... de Vénus.

D'après **Pétrone**, *Satyricon*, XXVIII-XXIX.

Entrez dans le texte

1 Que représente la mosaïque ? Quelle phrase du texte vous aide à répondre ?

2 À quel élément de la mosaïque correspond la phrase **3** ? En vous aidant du lexique, identifiez la forme verbale CAVE et traduisez la phrase.

Identifiez les verbes conjugués, leurs sujets et leurs compléments

3 Traduisez les verbes en gras.

4 En vous aidant du lexique et des repères de couleur, identifiez les cas et les fonctions des mots surlignés en a. bleu ; b. vert ; c. orange.

5 Donnez la classe grammaticale des mots aurea, varia, pictae, marmoreum.

Identifiez les compléments de phrase

6 a. Quel est le cas des noms cella (phrase **2**), angulo, aedicula (phrase **5**) ? Et leur fonction ?

b. Mêmes consignes pour le nom catena et le groupe de mots quadrata littera (phrase **2**).

Complétez la traduction

7 Complétez la traduction en vous aidant des observations précédentes.

Un **nouvel atelier de traduction** en version numérique.

Reconnaissez le sens des mots

1 De nombreux mots français comportant l'élément **SPEC(T),** *le fait de regarder attentivement,* sont issus du verbe latin specto, as, are.

Classez ces mots dans la corole en respectant leur classe grammaticale.

spectateur • introspection • prospection • circonspect • aspect • rétrospectif, ive • inspecter • spectaculaire • téléspectateur • inspecteur • prospectus • prospectif, ive • circonspection • suspect • suspecter • spectacle • rétrospectivement • inspection

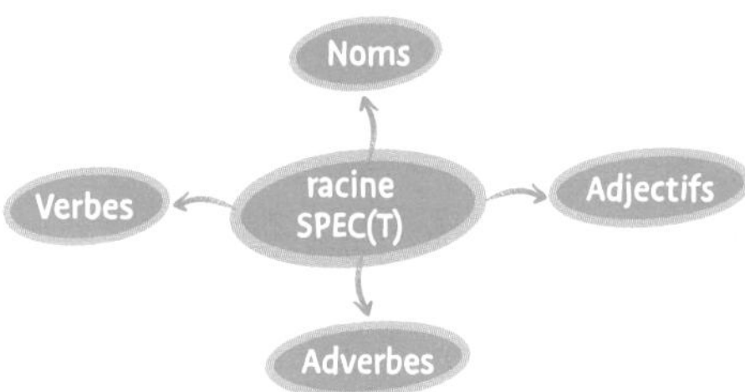

Comprenez la composition des mots

2 Recomposez des mots de la famille issue du verbe latin specto, as, are en reliant comme il convient les éléments de la liste 1 et de la liste 2. Plusieurs combinaisons sont possibles.

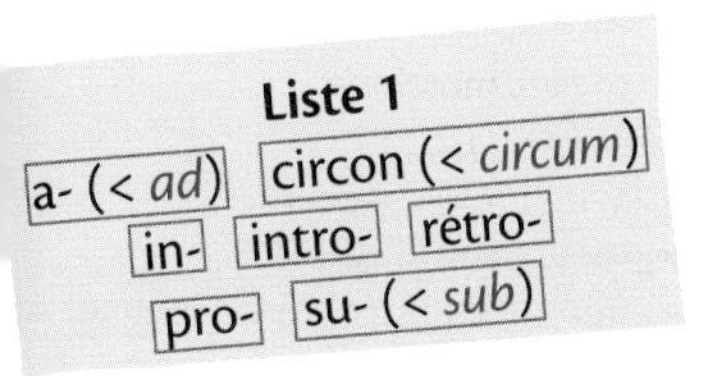

Liste 2
-spectif
-spection
-spect

3 **a.** L'élément AMBUL- est issu du verbe latin ambulo, as, are (*marcher, se promener*).
Reliez-le à chacun des trois éléments ci-dessous pour recomposer trois mots français.

NOCT-
de nox, *noctis*, f. : la nuit

FUN-
de funis, *is*, m. : la corde

SOMN-
de somnus, *i*, m. : le sommeil

b. Associez chacun des mots obtenus et sa définition.
1. personne qui marche pendant son sommeil
2. personne qui marche sur une corde raide
3. personne qui se promène ou se divertit la nuit

L'arbre à mots

4 Les mots suivants sont les fruits de l'arbre à mots : recopiez-les, encadrez leur radical et notez le numéro de leur branche.

carnage • coriace • cénacle • carnivore • incarner • décortiquer • carnation

5 Complétez ces phrases avec des mots de l'exercice 4.

a. La ... est un synonyme du mot *teint* pour désigner la coloration du visage.
b. Les plantes qui capturent et absorbent des insectes sont dites ....
c. Au théâtre, un comédien doit ... son personnage à la perfection.

6 La racine carn- a évolué en français, donnant plusieurs mots commençant par ch-, comme *chair*.

a. **Que signifie l'adjectif *charnu* ?**
b. Le corps d'une bête morte en décomposition est une *charogne*.
Comment se nomment les vautours qui s'en nourrissent ?

7 « Construit à partir du nom **caro** et du verbe **levare** (enlever), je marquais autrefois une dernière période de divertissement et de ripailles avant l'entrée dans le carême, période de jeune et de prières ; aujourd'hui, je suis un simple divertissement déguisé.

Qui suis-je ? » _ _ _ _ _ _ _ _ *(8 lettres)*

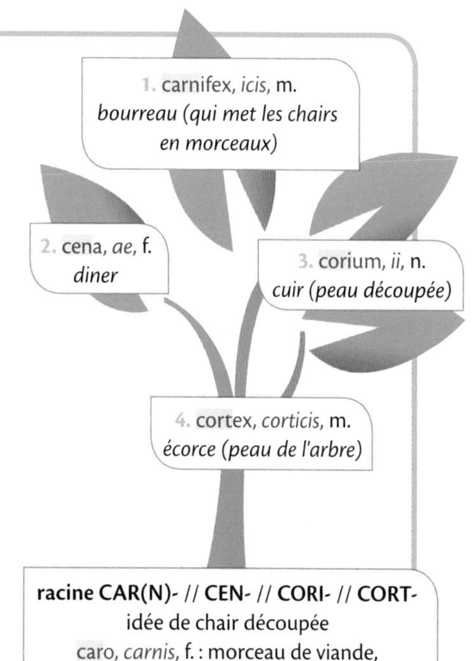

TEMPUS loquendi

Quid habetis ? – Habemus…

Qu'avez-vous ? – Nous avons…

✦ Marcus et Julia rentrent du **marché** (**macellum**, *i*, n.). Voici les produits qu'ils ont achetés.

- cochlea, *ae*, f. : escargot
- cucurbita, *ae*, f. : courge
- cuminum, *i*, n. : cumin
- ficus, *i*, f. : figue
- malum, *i*, n. : pomme
- oleum, *i*, n. : huile d'olive
- ostreum, *i*, n. : huitre
- ovum, *i*, n. : œuf
- pirum, *i*, n. : poire
- pisciculus, *i*, m. : petit poisson
- porcellus, *i*, m. : cochon de lait
- porri, *orum*, m. pl. : poireaux
- pullus, *i*, m. : poulet
- uva, *ae*, f. : raisin

In culina Dans la cuisine

✦ Suivez-les en **cuisine** (**culina**, *ae*, f.) où vous allez participe aux préparatifs du repas.
Voici plusieurs verbes pour vous guider.

- aspergo, is, ere : saupoudrer
- adjicio, is, ere : ajouter
- asso, as, are : faire rôtir
- coquo, is, ere : faire la cuisine
- elixo, as, are : faire cuire dans l'eau
- eximo, is, ere : égoutter
- gusto, as, are : gouter
- infero, fers, ferre : apporter, servir
- lavo, as, are : laver
- purgo, as, are : débarrasser
- scindo, is, ere : découper
- tero, is, ere : broyer

✦ Entrainez-vous avec une recette simple, em pruntée à **Apicius** (p. 121) :

> Pugnum salis, aquam et oleum mixtum facie et ibi porros coques et eximes. Cum oleo liquamine, mero inferes.
>
> *De re coquinaria*, XCII

liquamen, *minis* ou garum (p. 117) • merum, *i*, n. : vi pur • mixtus, a, um : mélangé • pugnus, *i*, m. : poignée sal, *salis*, m. : sel

Agite ! C'est à vous !

1. Interrogez Julia et Marcus sur ce qu'ils font en latin.
2. Imaginez plusieurs réponses en citant chaque fois trois produits différents.
3. Imaginez trois ordres donnés en latin par le cuisinier (coquus, *i*, m.) :
   a. Associez un verbe et un produit.
   b. Adressez l'ordre à une ou plusieurs personnes. Utilisez l'indicatif présent ou futur, ou encore l'impératif présent.
4. Traduisez la recette d'Apicius et inventez-en deux autres sur ce modèle en variant les ingrédients.

Dans leurs directives, les cuisiniers utilisent aussi bien l'indicatif présent (teritis) ou futur (teretis) que l'impératif (terite) et le subjonctif (teratis).

Invitation à diner

1 Préparez un menu en latin, dessinez-le et présentez-le
à vos camarades.

À vos casseroles !

2 On attribue au gastronome Gavius Apicius (env. 25 avant J.-C. - 37 après J.-C.)
un recueil de recettes intitulées *De re coquinaria* (*Art culinaire*, n° 162).
Pour découvrir comment faire une patina de piris (flan de poires), remettez dans
l'ordre le texte latin et sa traduction.

Fais cuire les poires dans l'eau

passum, liquamen, oleum modicum adjicies.

deinde patinam facies,

Pira elixa

et ea purga e medio

Mets des œufs,

tu ajouteras du vin paillé, du *garum* et un peu d'huile.

et débarrasse-les de leur partie centrale

deinde teres cum pipere, cumino, melle,

ultimo piper super aspargis et infers.

puis tu les broieras avec du poivre, du cumin, du miel,

puis tu feras un flan gratiné au four,

en dernier tu saupoudres de poivre par-dessus et tu sers.

Ova mitte

Un maitre de maison reçoit à diner. Apprenez par cœur le texte en latin, puis jouez-le en classe en vous répartissant les rôles (le maitre, sa femme, un invité) et en l'agrémentant d'une petite mise en scène de votre choix (gestes, ton de la voix).

Iam sero est, eamus in domum.	Il est déjà tard, rentrons à la maison.
Domina ubi est ?	Où est la maitresse de maison ?
- Hic sum.	– Je suis là.
Habemus quid cenare ?	Nous avons de quoi manger ?
- Habemus omnia.	– Nous avons tout ce qu'il faut.
Pueri, imponite mensam, date mappas ad manus et coronas convivis. Coque, adfer porcellum assum. Bene sapiat ! Nequid vultis bonas olivas ?	Esclaves, dressez la table, donnez les serviettes pour les mains et les couronnes pour les invités. Cuisinier, apporte le cochon de lait rôti. Que cela ait bon gout ! [= Bon appétit !] Vous ne voulez pas quelques belles olives ?
- Optime factum est.	– C'était très bon.

D'après *Hermeneumata Pseudodositheana* (env. 280 après J.-C.), IV, *Colloquium Montepessulanum*, 20.

Lexique

A

abeo, is, ire : s'en aller
ac : et
acerbus, a, um : âcre, âpre, dur, cruel
acetum, *i*, n. : vinaigre
ad + Acc. : vers, à
adulescens, *tis*, m. ou f. : jeune homme ou jeune femme
advena, *ae*, m. *ou* f. : nouveau ou nouvelle venu(e), étranger ou étrangère
aedicula, *ae*, f. : niche
aedifico, as, are : construire
ager, *agri*, m. : champ
ago, is, ere : pousser en avant, agir, faire, exprimer
agricola, *ae*, m. : paysan
albus, a, um : blanc
altus, a, um : élevé, haut
ambulo, as, are : se promener
amica, *ae*, f. : amie
amicus, *i*, m. : ami
amo, as, are : aimer
amoenus, a, um : agréable, charmant
ancilla, *ae*, f. : servante
angulus, *i*, m. : angle, coin
animus, *i*, m. : esprit, âme
annus, *i*, m. : année
ante + Acc. : avant
aperio, is, ire : ouvrir, découvrir
ardeo, is, ere : bruler
arma, *orum*, n. : armes
armarium, *ii*, n. : armoire
arx, *arcis*, f. : citadelle
ater, atra, atrum : noir
atque : et
atrium, *i*, n. : grande salle carrée ou rectangulaire à ciel ouvert
attendo, is, ere : écouter attentivement
audacia, *ae*, f. : audace
audio, is, ire : entendre, écouter
aureus, a, um : en or
aut… aut : ou bien

B

baca, *ae*, f. : baie, olive
bellicosus, a, um : belliqueux
bellum, *i*, n. : guerre
bene : bien
benignus, a, um : bienveillant
bibo, is, ere : boire
bonus, a, um : bon

C

calamus, *i*, n. : plume, roseau
canis, *is*, m. : chien
capio, is, ere : prendre
carpentum, *i*, n. : char
carpo, is, ere : détacher, cueillir, couper, trancher
caseus, *i*, m. : fromage
castigo, as, are : reprendre, réprimander
catena, *ae*, f. : chaine
cathedra, *ae*, f. : siège, chaise
catulus, *i*, m. : petit chien
causa, *ae*, f. : cause
cavea, *ae*, f. : cage
caveo, is, ere : être sur ses gardes, faire attention
cella, *ae*, f. : garde-manger, petite pièce
cena, *ae*, f. : diner, repas copieux
cera, *ae*, f. : cire
certus a, um : décidé, résolu
clamo, as, are : crier, s'écrier
cogito, as, are : réfléchir
colo, is, ere : cultiver, honorer, entretenir
columba, *ae*, f. : colombe
commodus, a, um : convenable, approprié
compleo, es, ere : remplir
condiscipula, *ae*, f. : camarade
condiscipulus, *i*, m. : camarade
condo, is, ere : fonder
conjungo, is, ere : lier, unir
consecro, as, are : consacrer
consilium, *ii*, n. : délibération
conviva, *ae*, m. ou f. : invité(e), convive
convivium, *ii*, n. : festin
copia, *ae*, f. : abondance
coquo, is, ere : cuire
coquus, *i*, m. : cuisinier
cras : demain
cum + Abl. : avec
cupio, is, ere : désirer
cura, *ae*, f. : soin

D

dea, *ae*, f. : déesse
defendo, is, ere : défendre
deinceps : ensuite
deinde : puis, ensuite
deleo, es, ere : détruire
deus, *i*, m. : dieu
devinco, is, ere : vaincre complétement, soumettre
dico, is, ere : dire
dicto, as, are : dire en répétant, dicter
discipula, *ae*, f. : élève
discipulus, *i*, m. : élève
disco, is, ere : apprendre
diu : longtemps
do, as, are : donner
doceo, es, ere : enseigner (quelque chose à quelqu'un)
doctus, a, um : savant
dolus, *i*, m. : ruse
domina, *ae*, f. : maitresse, souveraine
dominus, *i*, m. : maitre
domus, *us* ou *i*, f. : maison
donum, *i*, n. : don
dormio, is, ire : dormir

E

e, ex + Abl. : hors de
edisco, is, ere : apprendre par cœur
edo, edis, edere : manger
educo, as, are : élever, avoir soin de
emitto, is, ere : envoyer, lancer
emo, is, ere : acheter
equus, *i*, m : cheval

t : et

voco, as, are : appeler à soi, faire venir

xplico, as, are : dérouler, développer

xtra : à l'extérieur

F

acio, is, ere : faire

abula, *ae*, f. : légende

ama, *ae*, f. : renommée

amilia, *ae*, f. : famille, ensemble des esclaves d'une maison

emina, *ae*, f. : femme

erio, is, ire : frapper

erus, a, um : sauvage

lia, *ae*, f. : fille

lius, *ii*, m. : fils

lamma, *ae*, f. : flamme

ortuna, *ae*, f. : sort, hasard

uga, *ae*, f. : fuite

ugio, is, ere : fuir

G

alea, *ae*, f. : casque

allina, *ae*, f. : poule

emellus, a, um : jumeau

ero, is, ere : porter

esticulatus : faisant des gestes comme un danseur

ratia, *ae*, f. : faveur, grâce

ratus, a, um : agréable

usto, as, are : gouter

H

abeo, es, ere : avoir

asta, *ae*, f. : javelot, lance

aurio, is, ire : puiser

omo, *inis*, m. : homme (en tant qu'espèce)

ora, *ae*, f. : heure

ortus, *i*, m. : jardin

I

bi : là

gitur : donc

mpero, as, are : donner un ordre

n + Abl. : dans

ncendo, is, ere : incendier

incipio, is, ere : commencer, entreprendre

incola, *ae*, m. : habitant

incurso, as, are : se jeter contre

infans, *tis*, m. ou f. : enfant

inquit : dit-il ou dit-elle

instituo, is, ere : établir

insula, *ae*, f. : ile

intereo, is, ire : mourir

interficio, is, ere : anéantir, détruire

invenio, is, ire : trouver, rencontrer

ita : ainsi, de cette manière

itaque : c'est pourquoi

iter, *itineris*, n. : chemin, trajet

J

jam : déjà, désormais

jentaculum, *i*, n. : petit déjeuner

jubeo, es, ere : ordonner

justus, a, um : juste

juvenis, *is*, m. ou f. : homme ou femme dans la pleine force de l'âge

L

laboro, as, are : travailler

lacero, as, are : mettre en morceaux, découper

Latine : en latin

lego, is, ere : lire

liberi, *orum*, m. : enfants

libertus, *i*, m. : esclave affranchi

littera, *ae*, f. : lettre, écriture

litterae, *arum*, f. : lettres

locus, *i*, m. : lieu

longus, a, um : long

ludo, is, ere : s'amuser, jouer

ludus, *i*, m. : jeu

lupa, *ae*, f. : louve

M

magister, *tri*, m. : professeur

magistra, *ae*, f. : professeur

magnus, a, um : grand

male : mal

malus, a, um : mauvais

mamma, *ae*, f. : mamelle

maneo, es, ere : rester, attendre

mare, *maris*, n. : mer

marmoreus, a, um : en marbre

mater, *tris*, f. : mère

matrona, *ae*, f. : femme mariée

melius, rectius : meilleur

memoria, *ae*, f. : mémoire

mensa, *ae*, f. : table

minister, *tri*, m. : serviteur, domestique

miser, era, erum : lamentable, malheureux

mitto, is, ere : envoyer

moneo, es, ere : avertir

moveo, es, ere : remuer

mox : bientôt

mulsum, *i*, n. : vin mêlé de miel

multi, ae, a : nombreux

murus, *i*, m. : mur, muraille, rempart

N

narro, as, are : raconter

nato, as, are : nager

nauta, *ae*, m. : marin

neco, as, are : faire périr, tuer

non : ne... pas

novus, a, um : nouveau

nubo, is, ere : épouser

numerus, *i*, m. : nombre

nunc : maintenant

O

obsideo, es, ere : assiéger

olim : autrefois, jadis

oliva, *ae*, f. : olive

optime : très bien

ornamentum, *i*, n. : ornement, parure, bijou

ostendo, is, ere : présenter, montrer

P

pareo, es, ere : obéir

paro, as, are : préparer

parvus, a, um : petit

pater, *patris*, m. : père
pauci, ae, a : peu nombreux
pendeo, es, ere : être suspendu
pereo, is, ire : disparaitre
periculum, *i*, n. : péril
perfidia, *ae*, f. : perfidie
pervenio, is, ire : parvenir à
pessime : très mal
peto, is, ere : chercher à atteindre, aspirer à
pica, *ae*, f. : pie
pictus, a, um : coloré
piscis, *is*, m : poisson
placidus, a, um : doux, calme
placo, as, are : calmer
poculum, *i*, n. : coupe
pomum, *i*, n. : fruit
pono, is, ere : placer, servir à table
populus, *i*, m. : peuple
porrigo, is, ere : tendre, présenter, offrir
porta, *ae*, f. : porte
praebeo, es, ere : offrir
praeda, *ae*, f. : butin
praemium, *ii*, n. : avantage, récompense
prandium, *ii*, n. : déjeuner, repas du midi
primus, a, um : premier
procedo, is, ere : s'avancer
proelium, *ii*, n. : bataille
propero, as, are : se hâter, se presser, accélérer
propono, is, ere : exposer
prudentia, *ae*, f. : prévision, sagesse
puella, *ae*, f. : jeune fille
puer, *eri*, m. : enfant
pugna, *ae*, f. : combat
pugno, as, are : combattre
pulcher, pulchra, pulchrum : beau
pulso, as, are : secouer violemment

Q

qua : par où ? (lieu par où l'on passe)
quadrata littera : lettre capitale
quantum : combien
quartus, a, um : quatrième
-que : et
quintus, a, um : cinquième
quo : où ? (lieu où l'on va)
quomodo : de quelle manière... ?
quondam : un jour
quoniam : puisque
quoque : aussi
quotidie : chaque jour
quotienscumque : chaque fois que

R

rapio, is, ere : enlever
ratus, a, um : pensant
redeo, is, ire : revenir
regina, *ae*, f. : reine
regno, as, are : régner
relinquo, is, ere : laisser
reperio, is, ire : retrouver
respondeo, es, ere : répondre
rideo, es, ere : rire

S

saepe : souvent
saluto, as, are : saluer
saxum, *i*, n. : roche
schola, *ae*, f. : leçon, cours, école
scio, is, ire : savoir
scribo, is, ere : écrire
scriptum, *i*, n. : écrit
scutum, *i*, n. : bouclier
secretus, a, um : séparé, isolé, à part
secundus, a, um : deuxième, second
sed : mais
sedeo, es, ere : être assis
senex, *senis*, m. : vieillard
senior, *oris*, m. : homme mûr
sententia, *ae*, f. : sentiment, opinion, phrase
servus, *i*, m. : esclave
sextus, a, um : sixième
signum, *i*, n. : marque, signe
silva, *ae*, f. : forêt, bois
simulo, as, are : figurer
sine + Abl. : sans
specto, as, are : regarder
statim : aussitôt
stilus, *i*, m. : poinçon pour écrire
sto, as, are : se tenir debout
studeo, es, ere : étudier

T

tabula, *ae*, f. : tablette à écrire, planch
taceo, es, ere : se taire
tantum : seulement
templum, *i*, n. : temple
teneo, es, ere : tenir, d'où retenir, savo
tergeo, es, ere : essuyer
terreo, es, ere : effrayer
tertius, a, um : troisième
timeo, es, ere : craindre
tollo, is, ere : soulever, prendre
transeo, is, ere : passer
tribuo, is, ere : accorder, attribuer
tum : alors

U

ubi : où, quand
umbra, *ae*, f. : ombre
unda, *ae*, f. : eau
unde : d'où ?
urbs, *urbis*, f. : ville
ut... : comment... ?

V

valeo, es, ere : être fort, aller bien
varius, a, um : varié
vectus, a, um : porté
veho, is, ere : charrier
venio, is, ire : venir
verbum, *i*, n. : mot, expression
vero : mais
via, *ae*, f. : voie, chemin
vicinus, a, um : voisin
victoria, *ae*, f. : victoire
video, es, ere : voir
vinum, *i*, n. : vin
vir, *i*, m. : homme
virtus, *utis*, f. : qualités physiques et morales de l'homme
vis : force
vita, *ae*, f. : vie
vivo, is, ere : vivre
vocatur : il est appelé (= il s'appelle)
voco, as, are : appeler
volo, vis, vult, velle : vouloir
volvo, is, ere : rouler, faire rouler
vox, *vocis*, f. : voix, parole, mot

Déclinaisons

.es noms

es cas et les déclinaisons

a **déclinaison** latine est l'ensemble des **six cas**, correspondant à des **fonctions**. Ils sont marqués par es **terminaisons variables** qui s'ajoutent au **radical** du mot.

Fonctions en français	Cas en latin	Abréviations
;ujet, attribut du sujet	**Nominatif**	**N.**
apostrophe	**Vocatif**	**V.**
:omplément d'objet direct	**Accusatif**	**Acc.**
:omplément de nom	**Génitif**	**G.**
:omplément d'objet second	**Datif**	**D.**
:omplément circonstanciel	**Ablatif**	**Abl.**

es noms latins sont répartis en **cinq déclinaisons**.
a terminaison du **génitif singulier** permet d'identifier le **type de déclinaison** auquel appartient un nom.

1re déclinaison	2e déclinaison	3e déclinaison	4e déclinaison	5e déclinaison
-ae	-i	-is	-us	-ei
dominae, ***ae***, f. *la maitresse*	dominus, ***i***, m. *le maitre*	rex, ***regis***, m. *le roi*	manus, ***us***, f. *la main*	dies, ***ei***, m. *le jour*

a première déclinaison

	domina, *ae*, f. : la maitresse	
Cas	**Singulier**	**Pluriel**
Nominatif	domina	dominae
Vocatif	domina	dominae
Accusatif	dominam	dominas
Génitif	dominae	dominarum
Datif	dominae	dominis
Ablatif	domina	dominis

Les noms de la 1re déclinaison sont généralement du genre **féminin**. Plusieurs noms de métier et de nationalité sont du genre **masculin**.

nauta, *ae*, m. : le marin
agricola, *ae*, m. : le paysan
Belgae, *arum*, m. : les Belges

a deuxième déclinaison

	Masculin					
	dominus, *i*, m. : le maitre		puer, *eri*, m. : l'enfant		ager, *agri*, m. : le champ	
Cas	**Singulier**	**Pluriel**	**Singulier**	**Pluriel**	**Singulier**	**Pluriel**
Nominatif	dominus	domini	puer	pueri	ager	agri
Vocatif	domine	domini	puer	pueri	ager	agri
Accusatif	dominum	dominos	puerum	pueros	agrum	agros
Génitif	domini	dominorum	pueri	puerorum	agri	agrorum
Datif	domino	dominis	puero	pueris	agro	agris
Ablatif	domino	dominis	puero	pueris	agro	agris

	Neutre	
	bellum, *i*, n. : la guerre	
Cas	**Singulier**	**Pluriel**
Nominatif	bellum	bella
Vocatif	bellum	bella
Accusatif	bellum	bella
Génitif	belli	bellorum
Datif	bello	bellis
Ablatif	bello	bellis

Les adjectifs

Les adjectifs en *-us, -a, -um* (1re classe)

	bonus, a, um : bon					
	Masculin		Féminin		Neutre	
Cas	**Singulier**	**Pluriel**	**Singulier**	**Pluriel**	**Singulier**	**Pluriel**
Nominatif	bonus	boni	bona	bonae	bonum	bona
Vocatif	bone	boni	bona	bonae	bonum	bona
Accusatif	bonum	bonos	bonam	bonas	bonum	bona
Génitif	boni	bonorum	bonae	bonarum	boni	bonorum
Datif	bono	bonis	bonae	bonis	bono	bonis
Ablatif	bono	bonis	bona	bonis	bono	bonis

Les pronoms

Les pronoms personnels

	Singulier		Pluriel	
Cas	**1re pers.**	**2e pers.**	**1re pers.**	**2e pers.**
Nominatif	ego	tu	nos	vos
Vocatif	-	tu	-	vos
Accusatif	me	te	nos	vos
Génitif	mei	tui	nostri	vestri
Datif	mihi	tibi	nobis	vobis
Ablatif	me	te	nobis	vobis

Le pronom *is, ea, id*

Le pronom is, ea, id rappelle la personne ou la chose dont on a parlé (3e personne).

Il est traduit par un **pronom démonstratif** (*celui-ci, celle-ci*) ou par un pronom **personnel** (*le, la, les*).

Filia adest : **eam** videmus. *La fille est là : nous **la** voyons.*

	Singulier			Pluriel		
Cas	**Masculin**	**Féminin**	**Neutre**	**Masculin**	**Féminin**	**Neutre**
Nominatif	is	ea	id	ei (ii)	eae	ea
Accusatif	eum	eam	id	eos	eas	ea
Génitif	ejus	ejus	ejus	eorum	earum	eorum
Datif	ei	ei	ei	eis (iis)	eis (iis)	eis (iis)
Ablatif	eo	ea	eo	eis (iis)	eis (iis)	eis (iis)

Employé au génitif, il se traduit par un **adjectif possessif** (*son, sa, ses, leur, leurs*).

Titi filiam videmus : videmus **ejus** filiam.

*Nous voyons la fille de Titus : nous voyons **sa** fille.*

Conjugaisons

	amo, as, are	video, es, ere	lego, is, ere	capio, is, ere	audio, is, ire	sum, es, esse	possum, potes, posse	eo, is, ire
ndicatif résent	amo	video	lego	capio	audio	sum	possum	eo
	amas	vides	legis	capis	audis	es	potes	is
	amat	videt	legit	capit	audit	est	potest	it
	amamus	videmus	legimus	capimus	audimus	sumus	possumus	imus
	amatis	videtis	legitis	capitis	auditis	estis	potestis	itis
	amant	vident	legunt	capiunt	audiunt	sunt	possunt	eunt
ndicatif mparfait	amabam	videbam	legebam	capiebam	audiebam	eram	poteram	ibam
	amabas	videbas	legebas	capiebas	audiebas	eras	poteras	ibas
	amabat	videbat	legebat	capiebat	audiebat	erat	poterat	ibat
	amabamus	videbamus	legebamus	capiebamus	audiebamus	eramus	poteramus	ibamus
	amabatis	videbatis	legebatis	capiebatis	audiebatis	eratis	poteratis	ibatis
	amabant	videbant	legebant	capiebant	audiebant	erant	poterant	ibant
ndicatif utur	amabo	videbo	legam	capiam	audiam	ero	potero	ibo
	amabis	videbis	leges	capies	audies	eris	poteris	ibis
	amabit	videbit	leget	capiet	audiet	erit	poterit	ibit
	amabimus	videbimus	legemus	capiemus	audiemus	erimus	poterimus	ibimus
	amabitis	videbitis	legetis	capietis	audietis	eritis	poteritis	ibitis
	amabunt	videbunt	legent	capient	audient	erunt	poterunt	ibunt
mpératif résent	ama	vide	lege	cape	audi	es	-	i
	amate	videte	legite	capite	audite	este		ite
nfinitif résent	amare	videre	legere	capere	audire	esse	posse	ire

Index des notions de langue

A

blatif, p. 73

djectifs de la 1re classe, p. 73

C

as, pp. 11, 25, 55, 73

irconstancielles, pp. 73, 109

D

atif, p. 43

éclinaisons, pp. 25, 43, 55

re déclinaison, p. 45

e déclinaison, p. 55

E

o et ses composés, p. 97

F

Fonctions, pp. 11, 25

Futur de l'indicatif, p. 115

G

Génitif, p. 55

I

Imparfait de l'indicatif, p. 79

Impératif, p. 97

Infinitif présent, p. 19

L

Lieu, p. 109

N

Nom (carte d'identité), p. 25

Nominatif, p. 43

P

Présent de l'indicatif, pp. 37, 61

Pronoms personnels, p. 91

S

Sum et ses composés, p. 91

T

Temps (compléments), p. 109

V

Verbe (carte d'identité), p. 19

Crédits iconographiques

Couverture :

Jardin avec fontaines (détail), peinture romaine à fresque, Casa del Bracciale d'Oro, Pompéi : © DEA / L. Pedicini / De Agostini Editore / Age F tostock - *La louve romaine*, détail d'une mosaïque romaine, IVe siècle : © Leeds Museums and Art Galleries (Leeds City Museum) UK / Bridgem Images - Détail du sarcophage d'un enfant (M. Cornelius Status), Rome, IIe siècle : © Akg-images / Erich Lessing.

Pages intérieures :

p. 4h : © Victor Clark / ConstantinetheGreatcoins.com - **p. 4b** : © Thomas Herter - **p. 6** : Ph © The Metropolitan Museum of Art, Dist. RMN-Grar Palais / image of the MMA - **p. 7h** : © Akg-images - **p. 7b** : © Akg-images / Erich Lessing - **p. 8** : Ph © RMN-Grand Palais / Ingrid Geske-Heider **p. 9h** : Ph © The Metropolitan Museum of Art, Dist. RMN-Grand Palais / image of the MMA - **p. 9m** : © The Stapleton Collection / Bridgem Images - **p. 9b** : Prod DB © Warner bros. - Thunder Road / DR - **p. 14-15, 29** : © Munich, Nouvelle Pinacothèque / Akg-images - **p. 17** : © Ni Tondini / DanitaDelimont.com /Age Fotostock - **p. 18** : © Ethel Davies / Robertharding / Age Fotostock - **p. 20g** : © Stephen Somers - **p. 20** © Akg-images / Erich Lessing - **p. 21h, b** : Ph © RMN-Grand Palais (musée du Louvre) / Hervé Lewandowski - **p. 21m** : Ph © The British Museu Londres, Dist. RMN-Grand Palais / The Trustees of the British Museum - **p. 23** : © Parco Archeologico di Paestum - Foto di Francesco Vallet – Parco Archeologico di Paestum - **p. 24** : Ph © RMN-Grand Palais (domaine de Compiègne) / Thierry Ollivier - **p. 26** : Ph © Renate Kühling Staatliche Antikensammlungen und Glyptothek München - **p. 27h** : © Corbis - **p. 27b** : © Luisa Ricciarini / Leemage - **p. 28** : © Leemage - **p. 31** Coll. Perrin / Kharbine-Tapabor - **p. 31d** : © 2017. Christie's Images, London/Scala, Florence - **p. 31b** : © Lebrecht Music and Arts Photo Libra / Alamy - **p. 32-33** : © Yale University Art Gallery, University purchase from James Jackson Jarves - **p. 35, 123** : © DeAgostini/Leemage - **p. 3** © Akg-images - **p. 38** : © Bibliothèque des Arts décoratifs, Paris, France /Archives Charmet / The Bridgeman Art Library - **p. 39h** : © Scala - **p. 39** © Matt Cardy / Getty Images / AFP - **p. 41** : © Akg-images / Mondadori Portfolio / Sergio Anelli - **p. 42** : Ph © RMN-Grand Palais (musée du Louvr / Michel Urtado - **p. 44h** : © Akg-images - **p. 44b** : © Bibliothèque nationale de France - **p. 45-3** : Ph © Dominique Chaine Graveur - http ://ww gravure-marseille.com © La Monnaie de Paris / D.R. - **p. 45-4** : © Akg-images / Erich Lessing - **p. 45-5** : Ph © RMN-Grand Palais (musée du Louvr / Tony Querrec - **p. 45b** : © Classical Numismatic Group, Inc. / www.cngcoins.com - **p. 46** : Ph © RMN-Grand Palais (musée du Louvre) / Her Lewandoski - **p. 49h** : Ph © RMN-Grand Palais (musée du Louvre) / Hervé Lewandowski - **p. 49b** : © Akg-images - **p. 50-51** : Ph © RMN-Grar Palais (musée du Louvre) / René-Gabriel Ojéda - **p. 53** : © DeAgostini/Leemage - **p. 54** : © Akg-images / Bildarchiv Steffens - **p. 56h** : © Akg-imag - **p. 56b** : D.R. - **p. 57h** : Claude Quiec - **p. 57m** : © Gianni Fardelli / Marka / Age Fotostock - **p. 57b, 59, 63h** : © Luisa Ricciarini/Leemage - **p. 6** © Akg-images / Mondadori Portfolio / Sergio Anelli - **p. 62** : © Leemage - **p. 63mg** : © De Agostini Picture Library / A. de Gregorio / Bridgem Images - **p. 63md** : Ph © The British Museum, Londres, Dist. RMN-Grand Palais / The Trustees of the British Museum - **p. 63b** : © Private Colle tion / De Agostini Picture Library / Bridgeman Images - **p. 64** : © Leemage - **p. 68-69** : © Akg-images / Mondadori Portfolio / Sergio Anelli - **p. 7** © Akg-images / De Agostini Picture Lib. / G. Dagli Orti - **p. 72** : Ph © RMN-Grand Palais (domaine de Chantilly) / Harry Bréjat - **p. 74** : © Musée d Beaux-Arts, Caen, France / Bridgeman Images - **p. 75h** : Ph © RMN-Grand Palais (musée du Louvre) / Gérard Blot / Christian Jean - **p. 75m** : © Ais Leemage - **p. 75b** : © Lee/Leemage - **p. 77** : © The Cleveland Museum of Art - **p. 78** : Ph © The National Gallery, Londres, Dist. RMN-Grand Palais National Gallery Photographic Department - **p. 80** : © Fabrice Moireau - **p. 81h** : © Jean-Benoît Heron - **p. 81b** : © Roma, Sovrintendenza Capitolir ai Beni Culturali - Musei Capitolini / Foto Archivio Fotografico dei Musei Capitolini - **p. 82** : © Akg-images - **p. 86-87** : © Peter Barritt / World P tures / Age Fotostock - **p. 86g** : © Akg-images / Erich Lessing - **p. 86m** : © Akg-images - **p. 86d** : © DeAgostini/Leemage - **p. 87g** : © Luisa Ricciarir Leemage - **p. 87m** : © DeAgostini/Leemage - **p. 87d** : © Akg-images - **p. 89** : © Akg-images - **p. 90, 93b** : © Picture Desk - **p. 92-93** : Ph © Vatica Museums, all rights reserved - **p. 92b** : Ph © The Metropolitan Museum of Art, Dist. RMN-Grand Palais / image of the MMA - **p. 95** : © Akg-imag / Bildarchiv Steffens - **p. 96** : © 2017 Miles Kelly Publishing / fotoLibra - **p. 98h** : © Lanmas / Alamy Stock Photo - **p. 98b** : © Akg-images / Nor Wind Picture Archives - **p. 99h** : © Lebrecht Music and Arts Photo Library / Alamy Stock Photo - **p. 99m** : © Romain Beurrier/REA - **p. 99b** : © Annie Collognat-Barès - **p. 100** : © Akg-images - **p. 103h** : © De Agostini Picture Library / G. Nimatallah - **p. 103b** : © Akg-images / Erich Lessing **p. 104-105** : © DEA / L. Pedicini / De Agostini Editore / Age Fotostock - **p. 107** : © Aristeas / Hubert Naudeix - **p. 110h** : © DEA / G. Dagli-Orti / D Agostini Editore / Age Fotostock - **p. 110m** : © Akg-images / Album / Giacomo Brogi / CFRivero - **p. 110b** : Ph © Annie Collognat-Barès - **p. 111** © Akg-images - **p. 111b** : © Leemage - **p. 113** : © Musée château de Boudry, Suisse - **p. 114** : © Akg-images / André Held - **p. 116g** : © Jean-Clau Golvin/ Éditions Errance - **p. 116d** : © Akg-images / Album / Prisma - **p. 117h** : © Sites & photos - **p. 117b** : © Claus Ableiter - **p. 118** : © Pictu Desk - **p. 121** : Ph © Annie Collognat-Barès

Rome et son empire :

1 : © Fotolia - 2 : © Akg-images - 3 : © Getty images - 4 et 5 © Fotolia - 6 : © Akg-images - 7 : © Fotolia – 8 et 9 : © Akg-images - 10 : © Gamma-R pho - 11 : © Fotolia

Toutes les traductions pour lesquelles aucun nom de traducteur n'est précisé sont l'œuvre des auteurs de ce manuel.

Conception de la maquette de couverture : Delphine d'Inguimbert, Valérie Goussot
Conception de la maquette intérieure : Line Lebrun
Mise en page : Linéale
Iconographie : Christine Charier
Illustrations : Marylou Deserson (p. 12, 13, 30, 48, 66, 84, 102, 120)
Infographies : Laurent Blondel (Corédoc) (p. 19), Marylou Deserson (p. 5, 10, 11, 108)
Cartographie :
– coordination : Anthelme Pichereau
– réalisation : Valérie Goncalves, Christel Parolini
Édition : Sarah Gaisser, assistée de Margaux Gueniffey

Dépôt légal : avril 2017
N° éditeur : 2017_0008
Achevé d'imprimer en mars 2017 par Mohnmedia en Allemagne.

L'Italie antique

Imperium romanum : Rome et son empire

L'Empire romain aux IIe et IIIe siècles après J.-C.